リベラルアーツコトバ双書 5

自然言語と人工言語のはざまで

～ことばの研究・教育での言語処理技術の利用～

JN119010

野口大斗

まえがき

本書の執筆が決まったのは 2022 年の夏のことです。当時は COVID-19 の影響がすこし残りつつも、国際学会などが対面開催に戻りつつある時期でした。それまでの 2 年半の歳月にはあらゆることの非対面化が試みられました。研究では対面の調査や実験で新たなデータを得ることが困難になりました。また、大学では特に 2020 年度の教育活動はすべてをオンラインのみで完結させることを余儀なくさせられました。

　しかし、失ったものだけではありませんでした。どうにか事態を好転させようと模索するなかで、学ぶこともありました。研究においては、データを解析するタイプの研究やオンラインでのデータの収集が盛んになりました。教育に関しては、1 人に 1 台の端末が前提となり、非常勤講師にも LMS のアカウントが付与されるのが一般的となりました。これまでよりも多くのデータを計算機が取り扱いやすい形で収集することができるようになったのです。

　さらに本書の前身となるウェブ連載の直前には、OpenAI が ChatGPT を公開し、歴史の大きな転換点を迎えました。自然言語（人間の言語）を使用して計算機とやり取りできるようになったのです。連載中には同社から API や GPT4 の発表もありました。この原稿を執筆している段階では、オープンソースの大規模言語モデルも数多く開発され、非構造化データである言語の取り扱いも容易になりつつあります。

この現状のなかでプログラミング言語（人工言語）の大まかな仕組みがわかり、簡単なスクリプトを書けて、データをうまく扱えるようになれば、これまで人力でやらざるを得なかった多くの作業を自動化することができます。また、その過程で利用される言語処理の技術は言語の研究や教育に資するものでもあります。そこで、本書では言語の研究や教育の現場で実際に活用できる例を用いて、比較的短いスクリプトを書きながら、プログラミングについて紹介していきます。本書を読み終えたころには、ドキュメントを参照しながら自分で、あるいは言語モデルの助力を得ながら、必要なスクリプトを書いたり、すでにあるスクリプトを書き換えたりするのに必要な基礎が身につくはずです。それでは、自然言語と人工言語のはざまを垣間見る旅に出かけてみましょう。

（本書は教養検定会議ことば文化特設サイトにおける 2023年 1 月～3 月のウェブ連載記事を加筆修正のうえ、再構成したものです。）

対象読者

本書は自然言語（人間のことば）に興味のある方、人工言語（プログラミング言語）を学び始めた方を念頭に書かれています。具体的には、プログラミングを学び始めた中高生、日本語（国語）や英語を教えている方、情報の授業のプログラミングの題材を探している中高の教員、プログラミングを活用したい言語の研究に関わっている学生や研究者、ことばに関心がありプログラミングを始めてみたい方を想定していま

す。プログラミングや自然言語処理の知識のある方には十分な内容となっていないことをあらかじめお断りいたします。

実行環境

コードは、Windows 11 上の Google Chrome での動作を確認しています。

サポート

コードは直接もしくはサポートページ経由で著者の GitHub からダウンロードできます。

GitHub：https://github.com/hiroto-noguchi/book_
2023/
読者サポートページ：https://la-kentei.com/support/

免責事項

本書に掲載した情報には万全を期していますが、コードや紹介しているサービスの利用にともなう責任を、著者および出版社は負いかねます。

目　次

1.1　Python の基本

Google Colaboratory

まず、練習としてテキストに特定の単語が現れる回数を数えることをとおして、Python の基本的な使い方を簡単に確認してみましょう。日本語も取り上げますが、序盤ではプログラム上での扱いやすさのために、英語の例を使用します。環境設定の手間を省くため、本書では Google Colaboratory を使用します。ローカルで実行したい場合は、Jupyter Notebook などを使うとよいでしょう。出力結果は掲載しませんので、実際に実行して確認してください。コードは Google 側で実行されるため、コンピューターへの負荷はかかりません。スペックを気にする必要がないことも、Google Colaboratory を使う利点です。

　準備としては、以下の URL にアクセスし、Google にログインするだけです。すぐにコードを打ち込めるようになります。ファイルは Colab Notebooks というドライブ上のフォルダー内に保存されます。

https://colab.research.google.com/#create=true

　実際に紹介しているコード（字体の変わっている部分）を打ち込んでみることをおすすめしますが、すでに入力済みのものを GitHub のページから入手して実行することもでき

ます。GitHub から入手したコードを実行する際に警告画面が出ます。また、1つ目のコードの実行には、接続のためにすこし時間がかかります。スマートフォンからでも実行できます。再生（実行）ボタンはカーソルをかざさないと出てこないため、スマートフォンの場合はコードの横の［ ］の部分をタップしてください。GitHub 上のものを直接実行しても、実行内容は保存されません。保存したい場合は、「ファイル」→「ドライブにコピーを保存」と操作して、自身のドライブにコピーしたものを使用してください。

テキストの読み込み

テキストはファイルから読み込むのが理想的ですが、Colaboratory では Google Drive をマウントする必要があります。また何らかのデータセットから、テキストをインポートすることも可能です。しかし、わかりやすさのために、ここではコードにテキストを直接貼りつけます。コードはセルという枠の中に、以下のように記述します。コード内の # に続く、もしくは 3 つのシングルクォーテーションで囲まれた日本語の文字列はコメントのため不要です。また、コメント以外の部分に全角文字を入れるとエラーが出るので、注意してください。

```
''' テキストに説明文を代入する。
イコールの前後のスペースはあってもなくてもよい。'''
text = 'Python is an easy to learn, \
powerful programming language. It has \
```

```
efficient high-level data structures \
and a simple but effective approach to \
object-oriented programming. Python's \
elegant syntax and dynamic typing, \
together with its interpreted nature, \
make it an ideal language for scripting \
and rapid application development in \
many areas on most platforms.'
```

ここでは、text という変数に、Python のチュートリアル[1] の説明文の 1 段落目を代入します[2]。コードはできるだけ、コピーではなく打ち込んでみてください。もちろんチュートリアルの説明文はウェブサイトからのコピーで構いません。文字列としてチュートリアルの説明文を代入したいので、引用符を忘れないようにしてください。Python ではシングルクォーテーションでもダブルクオーテーションでも問題ありません。コードの左の三角形の再生ボタンを押して、セルを実行してみましょう。これで代入が完了です。

　「＋ コード」を押して、新たなセルを作り、つぎのコードを打ち込んで、セルを実行してください。「＋ テキスト」ではないことに注意してください。「テキスト」は「コード」以外の情報を書き込む部分です。text に文字列が代入されていることを確認できます[3]。

---

1)　https://docs.python.org/3/tutorial/
2)　ここでは、紙面の都合上折り返すため、バックスラッシュを挿入しています。1 行で貼りつける場合には不要です。

```
# text の中身をプリント（表示）する。
text
```

単語への分割

コードをすこし変えて、実行してみましょう。

```
# text を小文字にする。
text.lower()
```

これで、text に代入されている文字すべてが小文字（lower-case letters）になります。大文字で書かれている場合も小文字で書かれている場合も同じ単語として扱いたいので、この処理を施します。

さらに変更して、単語ごとに分割（split）してみましょう。

```
# text を小文字にして分割する。
text.lower().split()
```

リストという四角いかっこで囲まれてコンマで区切られたものが出力されます。ピリオドやコンマが不要ですが、未習事項[4] を使わないと解決できないので無視します。

---

3) Colaboratory や Jupyter Notebook では print 文がなくても print されるので省きますが、実行環境によっては print(text) としてください。

4) リストをループで一度展開して、strip を使用したものを別のリス

ループ

繰り返しの操作について確認しましょう。以下の例では、リストの中のものを順に取り出して、プリントしています。コロンを忘れないようにしてください。Python では字下げの位置関係が、コードの階層構造を示します。上から入力すると自動で字下げしてくれますが、Tab キーで字下げし、Shift キー＋Tab キーで字下げを元に戻すこともできます。

```python
'''in の後ろのリストの要素の数の分だけループを回し、
リストの要素を順に for の後ろの word に代入する。word
はほかの変数名に変えてもよいが、その場合は後続する変数
も忘れずに変更する。'''
for word in ['a', 'b', 'c']:
    # word をプリントする。
    print(word)
```

単語のケースに置き換えてみましょう。

```python
''' 小文字化されたテキストのそれぞれの単語をプリントする。'''
for word in text.lower().split():
    print(word)
```

トに append するか、つぎのようにリスト内包表記を利用することができます。
```python
[word.strip('.').strip(',') for word in
 text.lower().split()]
```

5

条件分岐

簡単な例を使って、b だけをプリントしてみます。今回は if が入れ子になったので、さらに字下げをします。代入はイコール 1 つですが、等しいかどうかの判定は 2 つになるので注意してください。

```
# リストのそれぞれの要素について同じ処理を繰り返す。
for word in ['a', 'b', 'c']:
    ''' もし word に入っている要素が b であれば、以下の
処理を実行する。'''
    if word == 'b':
        # word の中身をプリントする。
        print(word)
```

単語のケースで、さきほどのコードの判定する要素を and に置き換えます。

```
''' 小文字化された単語それぞれについて同じ処理を繰り返
す。'''
for word in text.lower().split():
    ''' もし word に入っている単語が and であれば、以下
の処理を実行する。'''
    if word == 'and':
        # word の中身をプリントする。
        print(word)
```

カウント

and が出現する回数を数えてみましょう。i という変数を用
意して、0 を入れておきます。and が見つかった場合に、i
に 1 をくわえていくことにしましょう。

```
'''i という変数に 0 をセットする。
counter など別の名前にしてもよい。'''
i = 0
for word in text.lower().split():
  if word == 'and':
# 単語が word であった場合だけに 1 を追加する。
    i = i+1
# 複数の要素をプリントしたい場合は、コンマでつなぐ。
    print(i, word)
```

and の出現回数だけ表示してみましょう。print 文の字下げ
の深さが変わっているのに注意してください。

```
i = 0
for word in text.lower().split():
  if word == 'and':
    i = i+1
print(i)
```

　これで、特定の単語が出てくる回数を数えることができる
ようになりました。テキストを分析するうえでもっとも基本

的な技術のうちのひとつです。ライブラリーを使って簡単に頻度をカウントすることもできますが、実装できるようにしておくことの重要性は学習が進むにつれてわかるはずです。

1.2 スクレイピング
スクレイピングとその注意点
さっそく、研究や教育にすぐに活用できる技術について見てみましょう。1.1 では英文のテキストを手作業で貼りつけましたが、ここではウェブサイトから情報を抜き出す、スクレイピングという技術の紹介です。URL が予測可能なタイプのウェブサイトの複数のページからテキストを収集し、それぞれの単語が出現する回数を数えるところまで作業していきます。

　大まかな流れは、ウェブサイトの URL を生成する、URL を指定してページの情報を取得する、HTML のタグを取り除く、単語の数を数えるというものになります。新たに紹介する主なこととしては、文字列の取り扱い、ライブラリーのインポート、HTML の仕組みなどが挙げられます。

　まずは、本題に入る前に注意点を確認しておきましょう。ウェブサイトをスクレイピングする際は利用規約を確認し、スクレイピングが許可されていても、サーバーに負担をかけないようにすることが重要です。サーバーへ高頻度のアクセスをすると、岡崎市立中央図書館事件[5] のように偽計業務妨害で罪に問われることがあります。スクレイピングの可否

---

5)　https://ja.wikipedia.org/wiki/ 岡崎市立中央図書館事件

は、スクレイピングしたいウェブサイトの robots.txt とい
うページを確認します。ここでは Wikipedia（https://
en.wikipedia.org）を使いますので、その robots.txt の
ページ（https://en.wikipedia.org/robots.txt）を確認
します。本書の執筆時点で Wikipedia の robots.txt は、
"Friendly, low-speed bots are welcome viewing
article pages"（友好的で低速であれば機械的なアクセス
は歓迎される）となっています。ちなみに Wikipedia で大
量のテキストをダウンロードする場合は、全記事の専用ファ
イル[6] が提供されているので、そちらを使うようにしま
しょう。

ウェブサイトの読み込み

説明は後回しにして、さっそくウェブページを読み込んでみ
ましょう。Colaboratory を開いてください。1.1 とは別
の方法も紹介しておきましょう。Google Drive で「新規」
→「その他」→「Google Colaboratory」とクリック
（「Google Colaboratory」がない場合は、「＋ アプリを追
加」から追加）して開けます。

　つぎのコードを打ち込んでください。Wikipedia のウェ
ブスクレイピングの記事（https://ja.wikipedia.org/
wiki/ ウェブスクレイピング）をスクレイピングしてみま
す。出力結果の見やすさのために日本語版を使用します。ひ
とまず、コードを実行してみましょう。

---

6)　https://ja.wikipedia.org/wiki/Wikipedia: データベースダウン
　　ロード

```
# requests というライブラリーをインポートする。
import requests
# ウェブページを取得する。
''' スペースの都合上、\ を使用して折り返しているが、1
行で書いても同じ。'''
webpage = requests.get(
'https://ja.wikipedia.org/wiki/%E3%82%A6'\
'%E3%82%A7%E3%83%96%E3%82%B9%E3%82%AF%E3'\
'%83%AC%E3%82%A4%E3%83%94%E3%83%B3%E3%82%B0')
# テキストを表示する。
webpage.text
```

HTML の処理

人間には読めそうにない文字列ではあるものの、ページの内
容を取得できたことが確認できるはずです。すこし見やすく
して、本文だけを表示してみましょう。

```
# BeautifulSoup をインポートする。
from bs4 import BeautifulSoup
# HTML を解析する。
soup = BeautifulSoup(webpage.content,
        'html.parser')
# 本文を抽出する。
soup.find_all('p')
```

改行記号とタグが入っているという問題点以外は、本文がう

まく表示されているはずです。本文から改行記号とタグを削除しましょう。

```
# 改行記号とタグを削除する。
for text in soup.find_all('p'):
    print(text.get_text().replace('\n', ''))
```

HTML の仕組み

ページを読み込めたので、すこし HTML の仕組みについて解説しておきます。HTML（HyperText Markup Language）とは、テキスト（text）よりも上位な（hyper）、しるしをつける（markup）ための言語（language）です。テキストをどう表示するのかのタグをつけるのに使われます。ウェブページは、実際に見えているように書かれているのではなく、テキストにそれぞれの部分をどう表示するかというタグ（`<x>...</x>`）がつけられています。実際はどのように記述されているのか確認してみましょう。さきほどの Wikipedia のスクレイピングに関する記事を、Python ではなく、ウェブブラウザから開いてみてください。

　環境によって操作が異なるので、ここでは Google Chrome を使用している前提で話を進めます。さきほど Python から読み込んだページをブラウザ（Google Chrome）から開きます。画面上を右クリックすると、「ページのソースを表示」と表示されるので、それをクリックします。ウェブサイトは、ソースに表示されているように記述されています。最初のコードで読み込んだものが読みにくかったのは、その

せいです。ブラウザがこのソースを解釈して、普段見ている形式で表示してくれているのです。

　実際のウェブサイトは複雑でわかりにくいので、簡単な例で確認してみましょう。つぎの文字列をテキストエディタに貼りつけて、拡張子を html として保存してみましょう。ここでは、Windows でメモ帳（テキストエディタ）を使っていることを想定してくわしい手順を説明します。

```
<h1> 見出し 1</h1>
<h2> 見出し 2</h2>
<b> 太字 </b>
<i> 斜体 </i>
<u> 下線 </u>
```

　まず、メモ帳を開きます。アプリが見つからない場合は、検索してみましょう。メモ帳を開いたら、上記のタグで囲まれた文字列を貼りつけます。「ファイル」→「名前を付けて保存」の順にクリック、ここでは仮に保存場所にデスクトップを指定します。適当な名前をつけ、その後ろに .html と打ち込みます。たとえば、ファイル名を test とすると、以下のようになります。

```
test.html
```

ファイルの種類を「テキスト文書（*.txt）」から「すべてのファイル（*.*）」に変更して保存します。保存ができたら、

デスクトップ（指定した保存場所）を確認してみてください。test のファイルが保存されているはずです。ファイルが既定のウェブブラウザのアイコンになっている場合は、そのままアイコンをダブルクリックして、ファイルを開いてみましょう。そうでない場合は、アイコンを右クリックして、「プログラムから開く」をクリックし、ウェブブラウザを選択してください。つぎのように、それぞれの「見出し」（headline）が大きく、**太字**が太字（bold）、*斜体*が斜体（italic）、「下線」が下線（underline）つきで表示されているのが確認できるはずです。実際の HTML ドキュメントや文字コードの宣言などを省略しているので、ブラウザなどの環境によっては、動作しない可能性もあります[7]。

BeautifulSoup での HTML の処理の仕組み

最初の requests を使ったコードでは、**webpage.text** で

---

[7]　うまく動作しない場合は、以下のものを試してみてください。

```
<!DOCTYPE html>
<html lang="ja">
  <head>
    <meta charset="UTF-8">
    <title>My test page</title>
  </head>
  <body>
<h1> 見出し 1</h1>
<h2> 見出し 2</h2>
    <p><b> 太字 </b><i> 斜体 </i><u> 下線 </u></p>
  </body>
</html>
```

HTMLタグを含んだままのテキストを表示していたので、人間には読みにくかったわけです。ウェブサイトの本文だけを表示するコードでは、テキストを読みやすくするために、BeautifulSoupを使ってHTMLを解析することで、必要な部分だけを取り出しました。さきほど作ったHTMLの例で、動作を再確認してみましょう。

```
# test_html という変数に自作した HTML を代入する。
test_html = '<h1> 見出し 1</h1><h2> 見出し 2</h2>\
<b> 太字 </b><i> 斜体 </i><u> 下線 </u>'
# test_html を解析する。
soup = BeautifulSoup(
    test_html, 'html.parser')
'''<h1>...</h1> とマークアップされている部分を探し
て、その部分のテキストを取得する。'''
soup.find('h1').get_text()
```

太字の部分を探したい場合は、h1をbに書き換えます。

```
'''<b>... </b> とマークアップされているものをすべて
取得して、1 つ目を表示する。'''
soup.find_all('b')[0].get_text()
```

URL の生成

URLが予測可能なタイプのウェブサイトの複数のページからテキストを収集し、それぞれの単語が出現する回数を数え

るという目標へ戻ってみましょう。単語の数を数える際に、日本語を取り扱うと複雑になるので、ここでは英語を使用します。Wikipedia の英文記事の URL を 3 つ用意してみました。

https://en.wikipedia.org/wiki/Web_scraping
https://en.wikipedia.org/wiki/Robots.txt
https://en.wikipedia.org/wiki/Natural_language_processing

URL の構造は、簡単に予測できると思います。https://en.wikipedia.org/wiki/ の部分が共通で、項目名の先頭が大文字になり、スペースが入る場合はアンダースコア（_）に置き換わっているというぐあいです。ここまでに学んだことを使うと、項目名をリストにして、順にプリントすることができます。

```python
# アイテムリストを定義する。
items = [
    'Web_scraping',
    'Robots.txt',
    'Natural_language_processing'
]
# 各アイテムを順番に表示する。
for item in items:
    print(item)
```

文字列同士を結合するときには、＋を使います。

```
a = 'A'
b = 'B'
a + b
```

これを念頭におくと、URL はつぎのように生成できます。

```
# 基本となる URL を定義する。
base = 'https://en.wikipedia.org/wiki/'
# 項目のリストを定義する。
items = ['Web_scraping', 'Robots.txt',
          'Natural_language_processing']
''' 各項目に対して、基本 URL と組み合わせた URL を出力
する。'''
for item in items:
    print(base + item)
```

スクレイピングの実行
3 つの記事の最初の段落の文章を結合してみます。

```
# 必要なライブラリーをインポートする。
import requests
from bs4 import BeautifulSoup
import time
```

```python
# 空の文字列を用意しておく。
text = ''
base = 'https://en.wikipedia.org/wiki/'
items = ['Web_scraping', 'Robots.txt',
         'Natural_language_processing']

# items リスト内の各要素に対して処理をおこなう。
for item in items:

    # Wikipedia のページを取得する。
    webpage = requests.get(base + item)
    # BeautifulSoup を使って HTML を解析する。
    soup = BeautifulSoup(
        webpage.content, 'html.parser')
    # <p> タグをすべて取得する。
    p_tags = soup.find_all('p')

    ''' 各 <p> タグのテキストを取得し、改行をスペースに
置き換えて text に追加する。 '''
    for p_tag in p_tags:
        text = text + p_tag.get_text()\
            .replace('\n', ' ')

    '''1 秒間実行を停止させる。( ) の中に停止させたい秒
数を入れる。 '''
    time.sleep(1)
```

text

サーバーへの負担軽減

重要なのは、ループを回すごとに、動作を1秒間停止（sleep）させていることです[8]。sleepの動作についてだけ、簡単に確認しておきます。以下は、現在時刻を3回プリントするコードです。

```
# 必要なライブラリーをインポートする。
import datetime
import time

# 3回ループさせる。
for i in range(3):
    # 現在時刻をプリントする。
    print(datetime.datetime.now())

    '''ループごとに1秒間停止させる。print文とインデントの深さが揃っていることに注意する。for文と揃えると、ループが終わってから1秒間停止する。そのため、アクセスの頻度を下げる役割を果たさなくなる。'''
    time.sleep(1)
```

---

8) robots.txt に "Hits many times per second, not acceptable"（1秒間に何度もアクセスするのは許されない）とあるので、1秒に1回に制限しています。アクセス先のウェブサイトに合わせて、調節してください。

語の出現回数

３つの記事を結合した **text** に代入されているテキストに話を戻します。1.1 のコードを使用すると、and が出てくる回数を数えることができます。

```
# 変数 i を初期化する。
i = 0

# テキストを小文字に変換し、単語ごとに分割する。
for word in text.lower().split():
    # 単語が 'and' の場合、カウントアップする。
    if word == 'and':
        i = i + 1

# 結果を出力する。
print(i)
```

　ここでは指定した文字だけではなく、すべての語の出現回数を求めようとしています。簡単な例 `['a', 'a', 'b']` におけるそれぞれの文字の出現回数は、つぎのようにカウントできます[9]。

---

9)　本文中では省きましたが、辞書というタイプのデータは、つぎのように使用できます。

```
# 空の辞書を用意する。
dictionary = {}
# apple という見出しの値を 1 にする。
```

```
# ライブラリーをインポートする。
from collections import Counter
# リストの要素の出現回数をカウントする。
Counter(['a', 'a', 'b'])
```

text に代入されている文を前回と同じ要領でリスト化します。

```
text.lower().split()
```

このリストにおける単語の出現回数を数えます[10]。

```
dictionary['apple'] = 1
# 現状の dictionary の中身をプリントする。
print(dictionary)
# banana という見出しの値を 2 にする。
dictionary['banana'] = 3
# 最終的な dictionary の中身をプリントする。
print(dictionary)
```

10) コードを単純にするためにライブラリーを使用しましたが、辞書
でつぎのように単語をカウントすることもできます。

```
# 文字の出現回数をカウントする辞書を初期化する。
freq_letter = {}

# リスト内の文字を一つずつ処理する。
for letter in ['a', 'a', 'b']:
    # 文字が辞書に存在しない場合
    if letter not in freq_letter:
        # 文字をキーとして、出現回数を 1 に設定する。
        freq_letter[letter] = 1
    # 文字が辞書に存在する場合
```

```
'''collections モジュールから Counter をインポートす
る。'''
from collections import Counter
```

```
''' テキストを小文字に変換し、単語ごとに分割して
Counter オブジェクトを作成する。'''
word_count = Counter(text.lower().split())
```

変数に結果を代入しておきます。

```
freq = Counter(text.lower().split())
```

すると、1.1 のように任意の単語（ここでは a）の出現回数
を調べることができます。a の部分は調べたい単語で書き換
えてみてください。

```
freq['a']
```

　これで、URL が予測可能なタイプのウェブサイトの複数
のページからテキストを収集し、それぞれの単語が出現する

```
    else:
        # 文字の出現回数を 1 だけ増やす。
        freq_letter[letter] = \
            freq_letter[letter] + 1

    # 結果を表示する。
    freq_letter
```

回数を数えました。本来はそれぞれの単語を原形にしてカウントする必要があるのですが、それは 1.4 で紹介することにしましょう。スクレイピングは実際に自分で選んだウェブサイトで試してみてください[11]。

1.3 CSV、可視化と関数
CSV ファイル

ここでは分析した結果を保存したり読み込んだりする方法、データの可視化、そして一連の作業をひとまとまりにする関数について紹介します。ファイルを扱う場合、Jupyter Notebook などを使ってローカル（自分のコンピューター上）で作業をしていれば、ファイルのパスを指定するだけですが、Colaboratory の場合には Google Drive をマウントする作業を必要とします。まずは、CSV ファイルから確認していきましょう。

　CSV（Comma-Separated Values）ファイルとはその名の通り、値（value）がコンマ（comma）で区切られた（separated）形式のテキストファイルです。表計算ソ

---

11)　JavaScript が使用されているページをスクレイピングする際には、selenium などのライブラリーが必要になります。JavaScript が使用されているか確認するには、Google Chrome で右上の３つの点の部分をクリックし、「設定」→「プライバシーとセキュリティ」→「サイトの設定」→「JavaScript」→「サイトに JavaScript の使用を許可しない」を選択し、ページを再読み込みしましょう。この設定で閲覧できなくなった部分に関しては、JavaScript が使われています。多くのウェブサイトが正常に動作しなくなるため、確認が終わった後は、「サイトが JavaScript を使用できるようにする」に戻し、ページを再読み込みしてください。

フトで開くと、Excel ファイルと同じように値が表示され
ます。CSV ファイルには値しか保存できませんが、値に関
しては Microsoft Excel や Google スプレッドシートのよ
うな表計算ソフトでは同じように表示されます。メモ帳など
のテキストエディタから開いてみると、エクセルファイルは
人間には読めませんが、CSV ファイルは表計算ソフトと同
じ値がコンマで区切られています。これが CSV の名前の由
来です。それでは 1.1 のコードを実行して、結果を CSV
ファイルとして保存してみましょう[12]。ひとまず、freq に
頻度の情報を代入してみます。

```python
# 必要なライブラリーをインポートする。
import requests
from bs4 import BeautifulSoup
import time
from collections import Counter

# 変数を初期設定する。
text = ''
```

---

[12]　Windows で Shift-JIS を使用している場合には、Excel などで
　　文字化けが起こることがあります。encoding を指定することも可能
　　ですが、ファイルを UTF-8 に統一することをおすすめします。比較
　　的新しい Excel では、保存の際に CSV UTF-8（コンマ区切り）を選
　　べます。UTF-8 の CSV ファイルを Excel で読み込む際に文字化けが
　　起こる場合は、「データ」→「データの取得」→「テキストまたは
　　CSV から」として「65001: Unicode (UTF-8)」を選択して読み
　　込むのがよいでしょう。

```
base = 'https://en.wikipedia.org/wiki/'
items = ['Web_scraping', 'Robots.txt',
         'Natural_language_processing']

''' 各項目についてウェブページを取得し、テキストを抽出
する。'''
for item in items:
    webpage = requests.get(base + item)
    soup = BeautifulSoup(
        webpage.content, 'html.parser')
    p_tags = soup.find_all('p')

    ''' 各段落からテキストを抽出し、改行をスペースに置
き換える。'''
    for p_tag in p_tags:
        text = text + p_tag.get_text()\
            .replace('\n', ' ')

    ''' ウェブサイトへの負荷を減らすために１秒待機す
る。'''
    time.sleep(1)

# 単語の出現頻度をカウントする。
freq = Counter(text.lower().split())

# 出現頻度を表示する。
```

```
freq
```

Google ドライブのマウント

Google ドライブと連携させましょう。Google Colaboratory
の左端のバーにある、ファイルのマークのアイコンをクリッ
クしてください。そうすると、開いた部分に 4 つのアイコ
ンが出てきます。右から 2 つ目にある、カーソルをかざす
と「ドライブをマウント」と表示されるものをクリックして
ください。同意して自分のアカウントを選択し許可すると、
ファイルに "drive" が追加されたことに気づくはずです。
アイコンが見つからない場合は、つぎのコードをかわりに実
行することもできます。これで、Google ドライブのマウン
トは完了です。

```
# Google Drive をマウントする。
from google.colab import drive
drive.mount('/content/drive')
```

データの保存

それでは、Google ドライブにデータを保存してみましょう。
ここでは pandas というライブラリーを使用して、freq の
辞書データを dataframe という形式に変換して CSV ファ
イルで保存します。まず、つぎのコードでデータの変換をお
こないます。

```
# Pandas をインポートする。
```

```
import pandas as pd

# 辞書データを dataframe に変換する。
df = pd.DataFrame.from_dict\
    (freq, orient='index', columns=[
    'frequency']).rename_axis('word')
```

データの数が多いので、20 回以上出現する語に限定してみましょう。

```
# 20 回以上繰り返される語のみを抽出する。
df[df['frequency'] >= 20]
```

　全体を CSV ファイルで MyDrive に保存してみます。保存先を指定したい場合は、Colaboratory のファイルマークのところで指定するフォルダーを選び、右の 3 つの点と「パスのコピー」を順にクリックします。パス[13]（path）とは道を意味する英単語で、フォルダーの階層構造がスラッシュでつながれたファイルの住所のようなものです。以下のコード中のパスは、content の中の drive の中の MyDrive の中にある frequency という名前の CSV ファイルということを示しています。コピーされているパスを貼りつけて、「/（ファイルの名前）.csv」と追加すると指定先に保存が可能です。

13）　Windows を使用して Jupyter Notebook などでパスを指定する場合は、raw 文字列の使用やエスケイプが必要になります。

```
'''dataframe を CSV ファイルで Google Drive に保存す
る。'''
df.to_csv(
    '/content/drive/MyDrive/frequency.csv')
```

データの読み込みも簡単にできます。保存したばかりのファ
イルを、別の変数を使って読み込んでみましょう。もちろん
保存先のパスから読み込むので、さきほど変更を加えた場合
は、こちらも忘れずに変更してください。

```
'''Google Drive の CSV ファイルを dataframe として読
み込む。'''
df_1 = pd.read_csv(
    '/content/drive/MyDrive/frequency.csv')
df_1
```

グラフの作成（可視化）

Python を用いてグラフを書く場合には、matplotlib[14] を
使用します。しかし、pandas には matplotlib のラッパー
（wrapper，包み込んで元とは違う環境で実行できるように
したもの）があるため、簡単にグラフを描画することができ
ます。棒グラフを作成してみましょう。スクレイピングした
記事に 20 回以上出てくる語に限って可視化します。コード
はたった 1 行でつぎのように書けます[15]。

---

14) 日本語は文字化けする場合があります。japanize-matplotlib の
　　 使用を検討してみてください。

'''20回以上繰り返される語のみを抽出し、棒グラフにする。'''
```
df[df['frequency'] >= 20].plot(kind='bar')
```

頻度の多いものから順に並べることもできます。少ないものから並べる場合は、ascending=False を削除するか ascending=True に書き換えます。

```
# 20回以上繰り返される語のみを抽出し、降順に並べる。
df[df['frequency'] >= 20].sort_values(
    'frequency', ascending=False)
```

並べ替えた結果をプロットしてみます。

'''20回以上繰り返される語のみを抽出し、降順に並べて、棒グラフにする。'''
```
df[df['frequency'] >= 20].sort_values(
    'frequency', ascending=False)\
    .plot(kind='bar')
```

これでグラフを作成することができました。plot の kind の値を変更するとグラフの種類を変更することもできます。また、凡例や軸については matplotlib から設定できるので、興味があればウェブで検索して調べてみてください。

---

15) 実行環境によっては、plt.show() が必要です。

関数

ここまでの手順をひとまとまり（関数）にして、繰り返しを避けましょう。まず、簡単な例として、与えられた数 x に対して、3x^2+2x+1 を計算してみましょう。たとえば、[1,2,3] の場合はそれぞれつぎのようになります。

```
print(3*1**2+2*1+1)
print(3*2**2+2*2+1)
print(3*3**2+2*3+1)
```

打ち間違えそうです。高校の数学を思い出しましょう。関数を使って、以下のように表したはずです。以下の関数は数学の例で、Python のコードではありません。

```
f(x) = 3x^2+2x+1
f(1) = 6
f(2) = 17
f(3) = 34
```

これを Python でコードにしてみましょう。def の後ろに関数名、かっこの中に変数（引数）を入れます。セミコロンとインデントを忘れないようにします。関数の中身が複数行の場合は、すべてインデントします。ここでは値を返したいので、return を使用します。呼び出し方は、関数名のかっこの中に変数の値を代入するだけです。

```
# 数式を関数化する。
def f(x):
    return 3*x**2+2*x+1

# 関数に 1 から 3 までの値を代入する。
for i in [1, 2, 3]:
    print(f(i))
```

それでは、本題に戻って、可視化の処理を関数にしてみましょう。

```
''' スクレイピングから可視化までの流れを関数として定義
する。
item にはリストで URL の末尾を、n には整数で単語の出現
回数の閾値を受け取る。'''

def visualize(items, n):
    # 必要なライブラリーをインポートする。
    import requests
    from bs4 import BeautifulSoup
    import time
    from collections import Counter
    import pandas as pd

    # 変数を初期化する。
    text = ''
```

```python
base = 'https://en.wikipedia.org/wiki/'

# 各アイテムに対してスクレイピングをおこなう。
for item in items:
    # Wikipedia のページを取得する。
    webpage = requests.get(base + item)
    # BeautifulSoup で解析する。
    soup = BeautifulSoup(
        webpage.content, 'html.parser')
    # <p> タグをすべて取得する。
    p_tags = soup.find_all('p')

    ''' 各 <p> タグのテキストを取得し、改行をスペース
に置き換えて text に追加する。 '''
    for p_tag in p_tags:
        text = text + p_tag.get_text()\
            .replace('\n', ' ')

    ''' ウェブサイトへの負荷軽減のため、1 秒待機す
る。'''
    time.sleep(1)

# 単語の出現回数をカウントする。
freq = Counter(text.lower().split())

''' データフレームに変換し、単語をインデックスに設
```

定する。'''
```
    df = pd.DataFrame.from_dict(
        freq, orient = 'index', columns = [
        'frequency']).rename_axis('word')
```

```
    '''閾値以上の出現回数を持つ単語を抽出し、降順に
ソートして棒グラフで表示する。'''
    df[df['frequency'] >= n].sort_values(
        'frequency', ascending = False)\
        .plot(kind = 'bar')
```

このコードを1度実行しておくと、それ以降は簡単に呼び
出すことができます。つぎのコードのように関数に引数を入
れて呼び出すと、さきほどと同じグラフを描画できます。

```
''''Web_scraping', 'Robots.txt', 'Natural_language_
processing' の記事で20回以上出てくる単語を棒グラフ
で可視化する。'''
visualize(['Web_scraping', 'Robots.txt',
           'Natural_language_processing'], 20)
```

language と English の記事で40回以上出てくる語のよ
うに条件を変えても、短いコードで簡単に処理できます。

```
''''Language', 'English' の記事で40回以上出てくる
単語を棒グラフで可視化する。'''
```

```
visualize(['Language', 'English'], 40)
```

　プログラムが処理しやすい形でデータが提供されているの
が最善ですが、そうでない場合もよくあります。規約上問題
がなければ、スクレイピングの活用を検討することができま
す。また、これからの時代のプログラミングに関数は特に有
用です。短いコードであればべた書きすることも多いです
が、言語モデルに一部のコードを生成させる際には、関数内
の変数が関数の外側の変数名と重複しても問題ないように、
短くても関数を利用するのが便利です。

1.4　正規表現と見出し語化
正規表現
正規表現を使用すると、あいまいな文字列の集合を定義でき
るため、検索の自由度が広がります。電子辞書を使用したこ
とがあるでしょうか。紙の辞書しかなかった、スマートフォ
ンで調べるから必要がないという世代の方も多いかもしれま
せん。もし使用経験があれば、あいまい検索やワイルドカー
ド検索といった機能を使ったことがあるでしょうか。たとえ
ば、archaeology の綴りの途中の母音字の順番がわからな
くなったときに、arch 〜 logy などのように検索すると、
arch から始まって logy で終わる単語を表示してくれる機
能です。Google 検索（https://www.google.com）にも、
単語単位であるものの、類似した機能があります。検索語句
を二重引用符で囲むと、完全一致した結果が表示されます
が、"natural * processing" のように検索すると、natural

と processing の間に語がはさまれたものが表示されます。
ここでは Python での正規表現の使用方法と正規表現を使
用した語形変化の処理、実用的な語の見出し語化について紹
介します。語形変化の処理に正規表現は十分ではないのです
が、汎用性があるので、ぜひマスターしてください。

Python での正規表現

Python で正規表現（regular expression）を使用するに
は、re というライブラリーをインポートします。ここでは
search を使用します。すでに用意されている re モジュー
ル内の関数を使うので、複雑な処理を簡単に書き表すことが
できます。検索する文字列と検索対象を順にコンマでつなぎ
ます。任意の文字がいくつか入る場合は、.+ を用いて表し
ます。さきほどの arch 〜 logy の例は、arch.+logy と書
けます。linguistics という単語はこの条件を満たさないの
で、以下のコードを実行しても何も起こりません。

```
# re をインポートする。
import re
'''linguistics が条件 arch.+logy を満たせばオブジェ
クトを返す。'''
re.search('arch.+logy', 'linguistics')
```

archaeology は条件を満たすので、つぎのようにすると出
力（オブジェクト）が返ってきます。

'''archaeology が条件 arch.+logy を満たせばオブジェクトを返す。'''
```python
re.search('arch.+logy', 'archaeology')
```

group メソッドを使用すると、マッチした文字列が返ってきます。

```python
# マッチした文字列を返す。
re.search('arch.+logy',
          'archaeology').group()
```

たとえば、arch, archaeology, biology の中で、arch.+logy を満たすものだけプリントしてみます[16]。

---

16) 何度も使用する場合は、同じ処理を繰り返さないようにコンパイルしておくとお行儀がよいです。

```python
# 単語のリストを定義する。
words = ['arch', 'archaeology', 'biology']

''' 検索パターン（'arch' で始まり、'logy' で終わる文字列）を定義する。'''
pattern = re.compile('arch.+logy')

''' 単語リストをループして検索パターンに一致するものを表示する。'''
for word in words:
    result = pattern.search(word)
    if result:
        print(result.group())
```

```
# 単語のリストを定義する。
words = ['arch', 'archaeology', 'biology']

''' 検索パターン（'arch' で始まり、'logy' で終わる文
字列）を定義する。'''
pattern = re.compile('arch.+logy')

''' 単語リストをループして検索パターンに一致するものを
表示する。'''
for word in words:
    result = pattern.search(word)
    if result:
        print(result.group())
```

動作が確認できたところで、メタ文字の使い方をすこし眺め
ておきましょう。`.+` を使用しましたが、
`.` は任意の 1 文字を表します。たとえば、
`a.c` には abc や adc などが一致します。

```
'''a と c のあいだに任意の 1 文字が入る文字列にマッチさ
せる。'''
re.search('a.c', 'abc').group()
```

+ は直前の文字の 1 回以上の繰り返しを表します。この場
合は、a+b には aab や aaab などがマッチします。

'''a の後ろで a が 1 回以上繰り返され、c に続く文字列に
マッチさせる。'''

```
re.search('a+c', 'aac').group()
```

したがって、任意の文字が 1 回以上現れることは、.+ を使
用して表現できます。ほかにもよく使われるものの例を見て
みましょう。0 回もしくは 1 回以上の出現には ? を使いま
す。a.?c とすると、a.c でマッチするものにくわえて、ac
にもマッチするようになります。

'''ac もしくは a と c のあいだに、任意の 1 文字が入る文
字列にマッチさせる。'''

```
re.search('a.?c', 'ac').group()
```

文字列の集合を表す場合には、[ ] を用います。[abc]d と
すると、ad や bd、cd にマッチします。

```
# [ ] の中の文字 1 つと d の場合にマッチさせる。
re.search('[abc]d', 'ad').group()
```

[ ] の文字以外と一致させたい場合には、^ をつけます。

```
# [ ] の中の文字以外と d の場合にマッチさせる。
re.search('[^abc]d', 'dd').group()
```

半角の数字を検索してみましょう。全角の数字にはマッチし

ません。

```
# 半角の数字にマッチさせる。
re.search('[0-9]+', 'ab0123').group()
```

半角数字に囲まれたひらがなだけを取り出してみましょう。
しかし、以下のようにすると、数字も含まれてしまいます。

```
# 半角数字とはさまれたひらがなを取り出す。
re.search('[0-9][ぁーん]+[0-9]',
          'aあいbう1えお2').group()
```

かっこで分割して、その 2 つ目と指定するとひらがなだけ
を取り出すことができます。

```
''' 後方参照を利用して、半角数字にはさまれたひらがなの
みを取り出す。'''
re.search('([0-9])([ぁーん]+)([0-9])',
          'aあいbう1えお2').group(2)
```

ほかにもできることはたくさんあります。覚えるのは大変で
すので、必要に応じて検索してみるとよいでしょう。

単語の見出し語化

さて、前回の語の頻度をカウントするコードをすこし書き換
えて実行してみましょう。のちの説明の都合上、関数でまと

める範囲を小さくしています。また、見やすさのためにグラフではなく表の段階までにしています。

```python
'''URL の末尾を引数にしてスクレイピングしたテキストを
返す関数を定義する。'''
import pandas as pd
from collections import Counter


def collect_texts(items):
    import requests
    from bs4 import BeautifulSoup
    import time

    text = ''
    base = 'https://en.wikipedia.org/wiki/'

    # 各アイテムに対してスクレイピングする。
    for item in items:
        webpage = requests.get(base + item)
        soup = BeautifulSoup(
            webpage.content, 'html.parser')
        p_tags = soup.find_all('p')

        ''' 各 p タグのテキストを取得し、改行をスペースに
置き換える。'''
        for p_tag in p_tags:
```

```
        text = text + p_tag.get_text()\
            .replace('\n', '')

    # 1 秒間待機する。
    time.sleep(1)

  return text

# 返ってきたテキストを text に代入する。
text = collect_texts(['Language', 'English'])

# 40 回以上出現する単語をプリントする。

freq = Counter(text.lower().split())
df = pd.DataFrame.from_dict\
    (freq, orient='index', columns=[
    'frequency']).rename_axis('word')
df[df['frequency'] >= 40].sort_values(
    'frequency', ascending=False)
```

ここでは、複数形の s が問題となります。さきほどは search を使いましたが、マッチした部分を置き換え（substitute）したいので、sub を使用します。単語の末尾は $ で表しますので、s で終わる単語を削除したい場合は、sub('s$', '',（対象文字列））となります。s を削除することによって、words を word にしてみます。

```
# words の s を除去する。
re.sub('s$', '', 'words')
```

これを使って書き換えてみましょう。

```
# 語末の s を削除する。
freq = Counter([re.sub('s$', '', word)
        for word in text.lower().split()])
```

```
''' 辞書からデータフレームを作成し、インデックスを単語
に設定する。 '''
df = pd.DataFrame.from_dict\
    (freq, orient='index', columns=[
     'frequency']).rename_axis('word')
```

```
# 頻度が 40 以上の単語を降順に並べ替える。
df[df['frequency'] >= 40].sort_values(
    'frequency', ascending=False)
```

うまくいったように見えます。しかし、勘が鋭ければ、
boxes のような es の語が含まれる場合はどうするのかと
思うでしょう。あってもなくてもよいものは、直後に ? を
つけます。words でも動作することを確認してみてくださ
い。

```
# 語末の es もしくは s を削除する。
```

```
re.sub('e?s$', '', 'boxes')
```

つぎに、countries のような語が問題になるでしょう。ies
の場合は y とすればよいわけです。

```
# ies を y に置き換える。
re.sub('ies$', 'y', 'countries')
```

これらを使用すると、規則的な複数形や動詞の３人称単数
現在形を処理することができます。さらっと書きましたが、
実は２行目と３行目の順序が重要です[17]。

---

17) このコードは期待通りのものを返します。

```
# 単語のリストを定義する。
words = ['words', 'boxes', 'countries']

# ies を y に置換する。
words = [re.sub('ies$', 'y', word)
    for word in words]

# es または s を削除する。
words = [re.sub('e?s$', '', word)
    for word in words]

# 結果を表示する。
print(words)
```

順序を入れ替えると (e)s が先に処理されてしまうので、うまくいきま
せん。

```
# 単語リストを定義する。
```

42

```python
# 正規表現を利用して屈折変化の s を処理する。
words = [word.lower()
        for word in text.split()]


# ies を y に変換する。
words = [re.sub('ies$', 'y', word)
        for word in words]


# es または s を削除する。
words = [re.sub('e?s$', '', word)
        for word in words]


# 単語の出現回数をカウントする。
freq = Counter(words)


# データフレームに変換し、列名を設定する。
df = pd.DataFrame.from_dict\
    (freq, orient='index', columns=[
```

```python
words = ['words', 'boxes', 'countries']

# 各単語の末尾にある (e)s を削除する。
words = [re.sub('e?s$', '', word) for word in words]

# 各単語の末尾にある ies を y に置換する。
words = [re.sub('ies$', 'y', word) for word in words]

# 結果を表示する。
words
```

```
    'frequency']).rename_axis('word')

# 出現回数が 40 以上の単語を降順に表示する。
df[df['frequency'] >= 40].sort_values(
    'frequency', ascending=False)
```

反例

原理的には過去・過去分詞、現在分詞や比較などの活用形も同様に処理すれば、うまくいくように見えます。しかし現実問題としては、不規則形や屈折変化する前の形でマッチしてしまうもの、もとの語に屈折語尾に含まれる文字列がある場合に不都合が生じます。以下のコードで確かめてみてください[18]。

---

18) 見出し語化（レンマタイズ）のほかにステミングを呼ばれる処理もあり、辞書なしで速度を優先して処理する場合には、接辞をすべて取り除くという選択肢もあります。NLTK にも、ステマーが用意されています。

Porter ステマー

```
# NLTK の PorterStemmer をインポートする。
import nltk

# PorterStemmer のインスタンスを作成する。
porter = nltk.PorterStemmer()

# 単語リストを定義する。
words_list = ['words', 'boxes', 'languages',
              'countries', 'mice', 'tennis']
```

正規表現を使って単語の複数形を単数形に変換する。

```
# 単語のリストを作成する。
words = ['words', 'boxes', 'languages',
         'countries', 'mice', 'tennis']
```

```
''' 単語リストの各単語に対して、PorterStemmer を適用して語幹
を抽出する。'''
stemmed_words = [porter.stem(
    word) for word in words_list]

# 結果を表示する。
print(stemmed_words)
```

Lancaster ステマー

```
# LancasterStemmer をインポートする。
import nltk
from nltk.stem import LancasterStemmer

# LancasterStemmer のインスタンスを作成する。
lancaster = LancasterStemmer()

# 単語リストを作成する。
words = ['words', 'boxes', 'languages',
         'countries', 'mice', 'tennis']

''' 単語リストの各単語に対して、LancasterStemmer を適用し、結
果をリストに格納する。'''
stemmed_words = [lancaster.stem(
    word) for word in words]

# 結果を表示する。
print(stemmed_words)
```

```python
# 末尾が ies の場合は y に置き換える。
words = [re.sub('ies$', 'y', word)
        for word in words]

# 末尾が es または s の場合は削除する。
words = [re.sub('e?s$', '', word)
        for word in words]

# 結果を表示する。
print(words)
```

見出し語化

結局、辞書を使わないと、うまく見出し語化はできません。
ここでは、NLTK（Natural Language Toolkit）の Word
NetLemmatizer を使用してみましょう。

```python
''' 必要なライブラリーをインポートおよびダウンロードす
る '''
import nltk
nltk.download('omw-1.4')
nltk.download('wordnet')
from nltk.stem import WordNetLemmatizer

# 見出し語化（単語を基本形に変換）する。
WordNetLemmatizer().lemmatize('words')
```

これを使うと、さきほどのものはつぎのようにうまく処理されます[19]。

```
# 単語のリストを作成する。
words = ['words', 'boxes', 'countries',
        'languages', 'mice', 'tennis']


'''WordNetLemmatizer を使用して単語の原形を取得し、
新しいリストに格納する。'''
words = [WordNetLemmatizer().lemmatize(word)
        for word in words]


# 結果を表示する。
words
```

それでは、1.3 のコードに見出し語化を適用してグラフまで描きましょう。

```
# テキストを小文字に変換し、単語ごとに分割する。
words = [word.lower()
        for word in text.split()]


# WordNetLemmatizer を使って単語を原形に戻す。
words = [WordNetLemmatizer().lemmatize(word)
```

---

19)　より正確なレンマタイズには、統語解析と組み合わせることが必要です。

```
            for word in words]
```

```
# 単語の出現回数をカウントする。
freq = Counter(words)
```

```
''' データフレームに変換し、単語をインデックスに設定す
る。'''
df = pd.DataFrame.from_dict\
    (freq, orient='index', columns=[
    'frequency']).rename_axis('word')
```

```
''' 出現回数が 40 以上の単語を抽出し、降順に並べ替えて
棒グラフを描く。'''
df[df['frequency'] >= 40].sort_values(
    'frequency', ascending=False)\
    .plot(kind='bar')
```

これで単語の出現回数のカウントはできるようになりまし
た。正規表現を使えるようになると条件に合う綴りや発音を
持つ単語を検索したり、特定の品詞の並びを含む文を検索し
たりすることができるようにもなります。

2.1　ファイルの自動処理

フォルダー内のファイル名の取得

研究を進めていく中で、複数のファイルから情報を抽出した
いことは多いのではないでしょうか。フォルダー内のすべて
のファイルに同じ操作を適用したい場合や、条件を満たす
ファイル名だけを抽出したい場合、ファイル名を書き換えた
い場合などが思いつくと思います。ここでは、os というラ
イブラリーを使用して、それらの処理を自動化する方法につ
いて見ていくことにしましょう。ここでは Google Drive
内のファイルを処理する前提で話を進めますが、ローカルに
Python 環境を用意すれば、手元のコンピューターのファイ
ルを操作することも可能です。

　まず、Google Drive 内のすべてのファイル名をプリン
トしてみましょう。事前に以下のように、Google Drive を
マウントしておく必要があります。

```
from google.colab import drive
drive.mount('/content/drive')
```

プリントするには、以下のコードを実行します。path の部
分を変更すると、任意のフォルダーのみに処理を適用するこ
とも可能です。

```python
# os モジュールをインポートする。
import os

# パスを指定する。
path = '/content/drive/MyDrive'

# 指定したパスのファイル一覧を取得する。
files = os.listdir(path)

# ファイル一覧を表示する。
for file in files:
    print(file)
```

たとえば、Google Drive 内に WAV ファイルがあるとして、それらだけをプリントしたい場合は、条件文を組み込むことが可能です。

```python
# os モジュールをインポートする。
import os

# パスを指定する。
path = '/content/drive/MyDrive'

# 指定したパスのファイル一覧を取得する。
files = os.listdir(path)
```

```
# ファイル一覧をループで処理する。
for file in files:
    # ファイルが .wav で終わる場合
    if file.endswith('.wav'):
        # ファイル名を表示する。
        print(file)
```

このようにすると、print 文の部分に実際に実行したい処理を組み込むことで、.wav で終わるファイルだけに同一の処理をおこなうことができます。

ファイル名の一括変更

通し番号がつけられたファイル名を、被験者情報で一括変更したいケースはよくあります。CSV や JSON などで対応情報がある場合は簡単に名前を変更することができます。ここでは辞書形式でファイル名の対応が与えられている前提で話を進めます。Drive 内の new というフォルダーに、0001.wav、0002.wav、0003.wav という 3 つの音声ファイルがあるとします。これに以下の辞書を使って、年齢、出身地、タスク名の情報を追加してみます。辞書の例はつぎのようになります。

```
name = {'0001.wav': '0001_tokyo_28_a',
        '0002.wav': '0002_osaka_45_b',
        '0003.wav': '0003_hyogo_64_a'}
```

これに対して、os.rename(変更前のファイルのパス，変更後のファイルのパス)を適用すると、ファイル名を書き換えることができます。path も書き換えている点に注意してください。

```
# パスを指定する。
path = '/content/drive/MyDrive/new/'

# パス内のファイルをリスト化する。
files = os.listdir(path)

# ファイルリストをループ処理する。
for file in files:
    # .wav ファイルの場合
    if file.endswith('.wav'):
        # ファイル名を変更する。
        os.rename(path + file,
        path + name[file] + '.wav')
```

ファイルの抽出（コピー）

タスク a だけや東京の話者だけのファイルを取り出す必要の生じる場合があります。その場合には、条件を満たすファイルだけ別のフォルダーにコピーすることができます。まずは、ファイルのコピーの方法を確認しましょう。Google Drive 直下に new2 という名前の空のフォルダーがあることを想定します。shutil.copyfile(コピー前のファイルのパ

ス，変更後のファイルのパス）とすることでコピーできます。

```python
# shutil モジュールをインポートする。
import shutil

# ファイルをコピーする。
shutil.copyfile(
'/content/drive/MyDrive/new/'\
                '0001_tokyo_28_a.wav',
'/content/drive/MyDrive/new2/'\
                '0001_tokyo_28_a.wav')
```

　条件を満たした場合だけ、コピーの処理を実行してみましょう。ここでは new3 というフォルダーを用意しておきます。タスク a の場合だけ取り出すには endswith を使えばよいと思うかもしれません。しかし、それでは東京の話者の場合と別の処理が必要になります。それを避けるために、ここでは指定した文字列を含むかどうかで判定させることにします。ただし、タスク a の判定の際に a を含むとしてしまうと、タスク b であるはずの 0002_osaka_45_b についても osaka に含まれる a に影響されて、コピー対象ファイルとなってしまいます。そのため、_a を含むや _tokyo を含むといった指定の仕方をすることにします。こうすることでタスク a の音声ファイルが new3 にコピーされます。

```python
# re モジュールをインポートする。
import re

# パターンをコンパイルする。
pattern = re.compile('_a')

# パスを設定する。
path = '/content/drive/MyDrive/new/'

# パス内のファイルをリスト化する。
files = os.listdir(path)

# ファイルリストをループする。
for file in files:
    # ファイル名にパターンが含まれている場合
    if pattern.search(file):
        # ファイルをコピーする。
        shutil.copyfile(path + file,
         '/content/drive/MyDrive/new3/'
         + file)
```

ファイル操作の自動化について紹介しました。正規表現と組み合わせることでより柔軟な処理ができることも確認しました。ファイル名と情報の記された CSV ファイルなどがあれば、辞書を手入力する必要もなくなります。ID のみではなくファイル名に情報を付与しておくことで、処理のたびに対

照表を使用する必要もなくなります。要素が長くなる場合は、今回のアンダースコア（_）のように区切り文字を入れておいて、ファイル名を条件で判定する際に split してリスト化することもできます。

2.2　Praat と自動化

Praat と Python

言語学や言語教育の研究では、音声を収集して分析することが一般におこなわれます。ここでは、Praat というソフトを利用して、収集した音声を分析する方法に触れます。Praat についての解説は日本語でも見つかりやすいので[20]、簡単に概観したあとで、Python を使用して分析を自動化する方法について紹介します。

Praat とそのダウンロード

Praat はオランダのアムステルダム大学の研究者らによって開発された音響分析ソフト[21] です。フリーで公開されているので、さっそく使ってみましょう。まずはウェブサイト（https://www.fon.hum.uva.nl/praat）からダウンロードしましょう。"Download Praat" から使用している OS を選択し、遷移先のページで条件に合ったものを選びます。

---

20)　日本語で読める書籍としては、『音声学を学ぶ人のための Praat 入門』（ひつじ書房）があります。
21)　Praat は音響分析ソフトですが、実験用に音声を編集することも可能です。リスニング問題作成などの一般的な音声編集には、Audacity（https://www.audacityteam.org）などが便利でしょう。

ダウンロード後は解凍するだけですぐにプログラムを実行することができますが、フリーソフトのため初回実行時に警告メッセージの表示される可能性があります。

音声の録音とピッチの測定

さて、ダウンロードしたファイルを実行すると、2つのウィンドウが表示されます。目盛りの入っている Praat Picture のほうは、可視化の結果を論文などに貼りつけられるように出力する際のお絵かきに使うものです。ここでは使用しないので、閉じてしまいましょう。デモには音声ファイルが必要です。すでに録音されているものは "Open" → "Read from file" から読み込めます[22] が、せっかくですので録音してみましょう。

　モノラル[23] の音声を録音するには、"New" → "Record mono Sound" → "Record" の順にクリックして、音声を吹き込みます。任意の文を録音してみます。録音後に "Stop" → "Save to list & Close" とクリックすると、最初に開いたウィンドウに "Sound untitled" というオブジェクトができているはずです。そのオブジェクトを選択し、"View & Edit" をクリックすると、音声波形とスペクトログラムが表示されます。下の該当する区間（たとえば Total duration）のバーの部分をクリックすると、音声が

---

22)　実は数式から音を作ったり、テキストを読ませたりして音声ファイルを用意することも可能です。

23)　一般的にはモノラルの音声を使用します。ステレオから変換することも可能です。

再生されます。部分的に選択して再生することも可能です。再生には Tab キーを使用することもできます[24]。

　それではピッチを測定してみましょう。ピッチが表示されていなければ、"Pitch" → "Show pitch" とクリックします。ピッチが表示されている適当な範囲を選択して、"Pitch" → "Get minimum pitch" を押すと、選択範囲内のピッチの最小値が表示されます。"Get maximum pitch" で最大値、"Get pitch" で平均値、"Pitch listing" で 0.01 秒（10msec）ごとのピッチのリストが出力されます。しかし、このような範囲の指定の仕方では測定のたびに結果が異なってしまいます。そこで、範囲を区切ってから計測することが一般的におこなわれます。

アノテーション

実際に範囲を区切ってラベルづけ（アノテーション）をしてみましょう。最初のウィンドウで音声のオブジェクトを選択します。"Annotate" → "To TextGrid（silences）" → "OK" とクリックすると、"TextGrid untitled" というオブジェクトができます。音声と合わせて選択して、"View & Edit" を押します。すると、無音区間に "silent"、そうでない部分に "sounding" と表示された tier（層）ができます。通常は音ごとに IPA や Arpabet などのいわゆる発音記号を使いますが、ここでは単語ごとに区切ってラベルをつけ

---

24)　音量は最初のウィンドウの "Modify" → "Scale peak" から調節できます。音量を上げる場合にはノイズも大きくなることに注意が必要です。

てみましょう。左下のボタンを活用して見やすい大きさにしながら、区切りたいところをクリックして出てくる丸印かEnter キーを押してください。縦線が入るので、その間の文字を編集します。最初のウィンドウに戻り、音声を選択した状態で、"Save" → "Save as WAV file" として保存しましょう。"TextGrid untitled" のほうも保存します。こちらは "Save as text file" になります。音声が増えた場合、それぞれの区間の測定値を転記する作業は気が遠くなります。Praat でスクリプトを書く方法もありますが、ここでは Python で処理する方法を説明します。

アノテーションの自動化
自動的にアノテーションをおこなうこともできます。Montreal Forced Aligner（MFA）（https://montreal-forced-aligner.readthedocs.io/en/latest/index.html）や日本語の場合には Julius（https://julius.osdn.jp/index.php?q=ouyoukit.html）などがあります。後者は Perl で書かれていますので、環境構築が必要になります。興味があれば試してみてください。

Parselmouth
ここでは Parselmouth と呼ばれるライブラリーを使用します。まずは、ライブラリーをインポートします。

```
# 必要なライブラリーをインストールする。
!pip install praat-parselmouth
```

```
# parselmouth をインポートする。
import parselmouth
```

ファイルですが、ここでは Drive をマウントしない方法を
利用します。この方法ではファイルが Drive 上には保存さ
れないので、Colaboratory との接続が切れた時点でファイ
ルをアップロードしなおす必要があります。ドライブをマウ
ントする際のアイコンの並びで最も左にある「セッションス
トレージにアップロード」をクリックして、さきほどの音声
とテキストグリッドのファイルをアップロードします。試し
に音声ファイルを再生してみます。filename の後ろのパス
は、必要があれば以前に説明した方法で書き換えてくださ
い。

```
# IPython.display から Audio をインポートする。
from IPython.display import Audio
```

```
# 音声ファイルを読み込む。
audio_file = '/content/untitled.wav'
```

```
# 音声ファイルを再生する。
Audio(filename=audio_file)
```

音声波形を描いてみます。

```
# matplotlib.pyplot を plt としてインポートする。
```

```python
import matplotlib.pyplot as plt

'''parselmouth.Sound を用いて音声ファイルを読み込
む。'''
sound = parselmouth.Sound(
    '/content/untitled.wav')

# 音声データの波形をプロットする。
plt.plot(sound.xs(), sound.values.T)

# x 軸の範囲を設定する。
plt.xlim([sound.xmin, sound.xmax])
# x 軸のラベルを設定する。
plt.xlabel('Time (s)')
# y 軸のラベルを設定する。
plt.ylabel('Amplitude')
# グラフを表示する。
plt.show()
```

つづけて、スペクトログラムも表示してみます。draw_
spectrogram 関数は公式ドキュメントの例のものを利用し
ていますので、自分で書く必要はありません。ここまでで
Praat に表示されている初歩的なものを Python からも確
認することができました。

```python
# numpy をインポートし、np という名前で使用する。
```

```
import numpy as np

'''matplotlib.pyplot をインポートし、plt という名前
で使用する。'''
import matplotlib.pyplot as plt

# scipy.io から wavfile をインポートする。
from scipy.io import wavfile

# スペクトログラムを描画する関数を定義する。
def draw_spectrogram\
    (spectrogram, dynamic_range=70):

    # スペクトログラムの X 軸と Y 軸を取得する。
    X, Y = spectrogram.x_grid(), \
        spectrogram.y_grid()

    # スペクトログラムの値をデシベルに変換する。
    sg_db = 10 * np.log10(spectrogram.values)

    # スペクトログラムを描画する。
    plt.pcolormesh(X, Y, sg_db,
        vmin=sg_db.max() - dynamic_range)

    # Y 軸の範囲を設定する。
    plt.ylim(
```

```
                    [spectrogram.ymin, spectrogram.ymax])

        # X 軸と Y 軸のラベルを設定する。
        plt.xlabel('time [s]')
        plt.ylabel('frequency [Hz]')

''' 音声ファイルを読み込み、スペクトログラムを計算す
る。'''
spectrogram = sound.to_spectrogram()

# スペクトログラムを描画する。
draw_spectrogram(spectrogram)
# 描画結果を表示する。
plt.show()
```

ピッチをリストしてみます。

```
# 音をピッチに変換する。
pitch = sound.to_pitch()

# ピッチの周波数を選択し、配列に格納する。
pitch_values = \
    pitch.selected_array['frequency']

# 周波数の配列をリストに変換する。
pitch_list = pitch_values.tolist()
```

```
# 結果のピッチリストを表示する。
pitch_list
```

ピッチの平均値はリストから処理して得てもよいですが、ここでは別の方法を紹介しておきましょう。平均をとる際にうっかりしていると、欠損値も含めた数で割ってしまい、実際よりも小さな値になることがあるかもしれません。

```
# ピッチの平均値を取得する。
mean_pitch = parselmouth.praat.call(
    pitch, 'Get mean', 0.0, 0.0, 'Hertz')
mean_pitch
```

TextGridTools

テキストグリッドの処理にも parselmouth を使用することができますが、ここではより使いやすい TextGridTools を利用します。ここでは、アノテーションをした層のラベルを 1 つずつ見て、その開始時刻と終了時刻を求めています。その時刻情報を用いてさきほどの方法でピッチを求め、ラベルとピッチをペアで書き出しています。

```
# tgt ライブラリーをインストールする。
!pip install tgt
# tgt ライブラリーをインポートする。
import tgt
```

```python
# TextGrid ファイルを読み込む。
textgrid = tgt.read_textgrid(
    '/content/untitled.TextGrid')

# 'silences' という名前の層を取得する。
intervals = \
textgrid.get_tier_by_name('silences')

''' 各インターバルの情報を取得し、平均ピッチ値を計算し
て表示する。'''
for interval in intervals:
    # 開始時刻を取得する。
    start_time = interval.start_time
    # 終了時刻を取得する。
    end_time = interval.end_time
    # テキストを取得する。
    text = interval.text
    # 平均ピッチ値を計算する。
    pitch_value = parselmouth.praat.call(
        pitch, 'Get mean',
        start_time, end_time, 'Hertz')
    # テキストと平均ピッチ値を表示する。
    print(text, pitch_value)
```

　ここでは Praat を使用した音声の処理とその自動化につ
いて説明しました。マイクを持って現地に出かけなくても音

声を収集できるケースが増えてきています。集められるデータの数が増えているので、こうした技術を積極的に活用できると、効率的にデータを処理できます。また、データの処理速度が上がると、多くのデータを収集する計画を立てることもできます。音質に関しても静かな部屋で録音してもらえれば、フィールドワークのものよりもノイズの少ない音声を入手できることもあります。音声データの収集自体については扱いませんが、単純な読み上げであれば、録音ファイルをフォームで集めることも考えられます。また、こちらは共著の新書[25) に譲りますが、JavaScript をうまく活用すると、立ち合いなしに複雑な実験をオンラインで完結させることも可能です。

2.3　テキスト分類
日本語のテキストでの著者推定

ここでは、テキストの分類に挑戦します。テキストの分類には、数多くの種類があります。たとえば、迷惑メールかどうか、レビューコメントの評価が高いか低いか、テキストのトピックが何であるかなどの分類です。その中でも、ここではテキストを著者によって分類してみましょう。具体的には、青空文庫のテキストを使用して、著者が芥川龍之介であるか、夏目漱石であるかを判定させてみます。技術的には、日本語の取り扱いに必要な形態素解析と、ナイーブベイズを使用した推定の方法を紹介します。

---

25)　『jsPsych によるオンライン音声実験レシピ』（教養検定会議）

青空文庫のテキスト処理

まず、青空文庫[26] のテキストを入手しなくてはなりません。著者の独断と偏見で、芥川龍之介と夏目漱石の有名なテキストを選びました。辞書形式にしてあるので、以下のコードを Colaboratory に貼りつけてください。作品を確認したい場合は、ブラウザからアクセスしてみてください。それぞれの作家から 6 つずつ[27] 作品[28] をとってきています。のちの処理の都合上、テキストの並び順を連番にしていません。

```
# 青空文庫のテキストの URL を辞書形式で定義する。
root = 'https://www.aozora.gr.jp/cards'

urls = {
    # 夏目漱石 1
    'natsume1':
    root + '/000148/files/773_14560.html',
    # 夏目漱石 2
    'natsume2':
    root + '/000148/files/776_14941.html',
```

26) 著作権切れによるパブリックドメイン、もしくは著者が掲載許可した作品のテキストを入手できます（https://www.aozora.gr.jp/）。西洋の文学に興味のある読者は、Project Gutenberg（https://www.gutenberg.org）を利用して、英語などで同様のことを試してみるとよい練習になるでしょう。

27) 本来はより多くのテキストが必要です。

28) 今回は新字新仮名で統一しましたが、旧字旧仮名で読める作品もあります。

```
# 夏目漱石 3
'natsume3':
root + '/000148/files/794_14946.html',
# 夏目漱石 4
'natsume4':
root + '/000148/files/752_14964.html',
# 芥川龍之介 1
'akutagawa1':
root + '/000879/files/127_15260.html',
# 芥川龍之介 2
'akutagawa2': root
+ '/000879/files/179_15255.html',
# 芥川龍之介 3
'akutagawa3':
root + '/000879/files/42_15228.html',
# 芥川龍之介 4
'akutagawa4':
root + '/000879/files/43015_17432.html',
# 夏目漱石 5
'natsume5':
root + '/000148/files/789_14547.html',
# 夏目漱石 6
'natsume6':
root + '/000148/files/56143_50921.html',
# 芥川龍之介 5
'akutagawa5':
```

```
root + '/000879/files/92_14545.html',
# 芥川龍之介 6
'akutagawa6':
root + '/000879/files/43016_16836.html'}
```

　以前学んだスクレイピングを利用して、テキストを取り出すための関数を書いてみましょう。青空文庫は文字コードがshift_jis のため、エンコーディングを指定せずに読み込むと、文字化けが起こります。ふりがなの HTML タグと、それにはさまれた部分は削除しています。本文のみを抽出し、スペースを処理するために、1 度分割して再結合しています。ブラックボックスとして使っても構いませんが、興味があれば、それぞれの行で何をしているのかプリント文を挿入して調べてみてください。

```
''' 引数に指定した青空文庫の url からプレインテキスト
を取得する。'''
def aozora(url):
    # 必要なライブラリーをインポートする。
    import requests
    from bs4 import BeautifulSoup

    # 指定された URL から Web ページを取得する。
    webpage = requests.get(url)

    ''' 青空文庫は shift_jis のためエンコーディングを
```

```
指定する。'''
  webpage.encoding = 'shift_jis'

  # BeautifulSoup を使って HTML を解析する。
  soup = BeautifulSoup(
    webpage.content, 'html.parser')

  # ふりがなを削除する。
  for tag in soup.findAll(['rt', 'rp']):
    tag.decompose()

  # 本文の最初の 1000 文字を抽出する。
  text = soup.find(

class_='main_text').get_text().strip()[:1000]

  # スペースを処理する。
  text = ''.join(text.split())
  return text
```

関数の動きを確かめてみましょう。URL を引数として、ス
ペースやふりがなを削除したテキスト 1000 文字が返って
くるようになっています。ここでは、先ほど定義した urls
の natsume1 に対応する『こころ』（夏目漱石）の URL が
代入され、最初から 1000 文字が返ってきます。

```
# natsume1 の値の URL を引数として関数を実行する。
natsume_test = aozora(urls['natsume1'])
natsume_test
```

形態素解析

英語と日本語を扱う際の大きな違いは、語の分割方法です。
英語は語がスペースで区切られますが、日本語ではそうでは
ありません。語を分割して英語のように扱うには、品詞分解
（形態素解析）をする必要があります。今回は、pip コマン
ド[29] のインストールだけで簡単に使用できる、janome と
いうライブラリーを採用します。『こころ』の最初の 100
文字を、形態素解析してみましょう。

```
# janome をインストールする。
!pip install janome
from janome.tokenizer import Tokenizer
```

```
#「こころ」の最初の 100 文字を形態素解析する。
for token in Tokenizer()\
    .tokenize(natsume_test[:100]):
    # 結果を表示する。
    print(token)
```

それぞれの要素を別に取り出すこともできます。品詞の並び

---

29)　標準ライブラリーにないものをインストールする際に使用できま
　　す。ノートブック環境では！を先頭につけます。

を調べたり、特定の品詞だけを抽出したりすることも容易です。

```
# 品詞、原形、表層形、読みをプリントする。
for token in Tokenizer()\
    .tokenize(natsume_test[:100]):
    print(token.part_of_speech.split(',')[0],
          token.base_form,
          token.surface,
          token.reading)
```

分かち書き（単語分割）
得られた表層形を単に連結してもよいのですが、ループなしで分かち書きが簡単にできるようになっているので、そちらを利用します。

```
'''Tokenizer のインスタンスを作成し、wakati=True で
分かち書きモードにする。
tokenize メソッドでテキストを分かち書きし、リストに格
納する。
リストの要素をスペースで結合して出力する。'''
' '.join(list(Tokenizer(wakati=True)\
              .tokenize(natsume_test[:100])))
```

著者と URL の辞書の項目数分だけループを回して、スクレイピングの関数を実行します。著者と実行結果を分かち書き

したものがペアになった辞書を作成します。

```
''' スクレイピング結果を分かち書きして辞書に格納する。
'''
texts = {}  # 結果を格納する辞書を初期化する。

# 各著者と URL に対して処理をおこなう。
for author, url in urls.items():
    # スクレイピングでテキストを取得する。
    text = aozora(url)
    # 分かち書き用のトークナイザーを作成する。
    wakati = Tokenizer(wakati=True)
    # テキストを分かち書きしてリストに変換する。
    text = list(wakati.tokenize(text))
    # = リストをスペースで結合して文字列に戻す。
    text = ' '.join(text)
    # 辞書に分かち書きされたテキストを格納する。
    texts[author] = text
```

著者名と書き出しの 50 文字をプリントしてみましょう。

```
# 著者名と書き出しの 50 文字をプリントする。
for author, text in texts.items():
    print(author, text[:50])
```

Bag-of-words と TF-IDF

ここではそれぞれの単語が出現する回数（Bag-of-words）を特徴量として利用します。特定の品詞を省く処理はしません。数学的な計算に使用する numpy[30] と機械学習に使用する scikit-learn[31] というライブラリーを単語の出現回数をカウントし、その結果を numpy の配列（ベクトルや行列）に変換します。さらに、以前使用した pandas で表を表示しています。

```
# 各作品における単語の出現回数をカウントする。
import numpy as np
import pandas as pd
from sklearn.feature_extraction.text \
    import CountVectorizer

# テキストデータを numpy 配列に変換する。
text_array = np.array(list(texts.values()))

# CountVectorizer をインスタンス化する。
count = CountVectorizer()

# テキストデータに対して fit する。
count.fit(text_array)
```

---

30) https://numpy.org/doc/stable/user/quickstart.html
31) https://scikit-learn.org/stable/tutorial/index.html

```
# テキストデータを変換する。
x = count.transform(text_array)
x = x.toarray()

# データフレームに変換し、カラム名を設定する。
pd.DataFrame(x,
    columns=count.get_feature_names_out())
```

しかし、このままではすべての単語が同じだけの重みを持って
しまうため、TF-IDF（Term Frequency-Inverse Document
Frequency）を使用します。TF-IDF とは、文書の総数を
それぞれの単語が出てくる文書の数の数で割って対数をとっ
たものと、語の出現回数をかけ合わせた値です。値は語が出
てきにくいものであるほど大きくなります。

```
'''TF-IDF(Term Frequency-Inverse Document Frequency)
を求める。'''
import pandas as pd
import numpy as np
from sklearn.feature_extraction.text \
    import TfidfVectorizer

# テキストデータを numpy 配列に変換する。
text_array = np.array(list(texts.values()))

# TfidfVectorizer をインスタンス化する。
```

```
tfidf = TfidfVectorizer()

# テキストデータに対して TF-IDF を計算する。
x = tfidf.fit_transform(text_array)
x = x.toarray()

# 結果をデータフレームに変換して表示する。
pd.DataFrame(
    x, columns=tfidf.get_feature_names_out())
```

ナイーブベイズ（機械学習）と著者推定

ここでは、natsume1〜natsume4 と akutagawa1〜akutagawa4 のそれぞれの語の TF-IDF を入力として、夏目漱石（0）か芥川龍之介（1）を出力するモデルを訓練します。機械学習では、学習時に見せるデータとテスト用にとっておくデータに分割することが一般的です。分割は出力（正解）割合が等しくなるようにランダムにおこなうのが理想的です[32]。ナイーブベイズはパラメーターを変更していくタイプの機械学習ではないので、割合が等しくなくても問題ありません。今回はランダマイズしないので、正解のラベルは natsume1 から順に 0,0,0,0,1,1,1,1,0,0,1,1 となります。ランダマイズする場合は、特徴量と正解ラベルをペアにしておく必要があります。

---

32)　学習手法によっては、不均衡データの場合は重みをつけたり、リサンプリングをしたりする必要があります。

```
# 正解ラベルを付与しておく。
y = [0, 0, 0, 0, 1, 1, 1, 1, 0, 0, 1, 1]

# リストを NumPy 配列に変換する。
y = np.array(y)
```

natsume1〜natsume4 と akutagawa1〜akutagawa4 を訓練（train）データ（x と y それぞれの 0 から 8 番目の前まで）、残りをテスト（test）データ（x と y それぞれの 8 番目以降）とします。

```
# データを学習用とテスト用に分割する。
x_train, x_test, y_train, y_test = \
    x[:8], x[8:], y[:8], y[8:]
```

以下のように書いても同じです。

```
x_train = x[:8]  # 学習用の入力データ
x_test = x[8:]   # テスト用の入力データ
y_train = y[:8]  # 学習用の出力データ
y_test = y[8:]   # テスト用の出力データ
```

　ナイーブベイズモデルを使って分類器（classifier）のモデルを作成し、テストデータでの正解率を計算するスクリプトです。ナイーブベイズでは、あるクラスに属する確率とそのクラスで特定の単語が含まれる確率のかけ算[33]をしま

す。

'''ナイーブベイズモデル分類器の訓練と評価をおこないます。'''
```
from sklearn.naive_bayes import MultinomialNB

# 分類器を訓練データで学習させます。
clf = MultinomialNB().fit(x_train, y_train)

# テストデータでの精度を計算し、表示します。
print('Accuracy:', clf.score(x_test, y_test))
```

くわしく結果を見ると、0, 0, 1, 1 と予想すべきところで
0, 1, 1, 1 としたために、正解率が 3/4（75%）となったことがわかります。

```
# 正解ラベルと予想した答えをプリントする。
y_pred = clf.predict(x_test)  # 予測値を計算
print(y_test, y_pred)  # 正解ラベルと予測値を表示
```

また、つぎのような混合行列で可視化することも可能です。
分類するクラスが 3 つ以上になった際に特に有用です。

---

33) いずれかの確率が 0 の場合に全体の確率が 0 になってしまうた
　　め、スムージング処理が施されます。また、それぞれの単語が出てく
　　る確率は独立である（単語には共起しやすさがない）ことをナイーブ
　　に仮定することによって、かけ算をしていることが名前の由来です。

```
# 混合行列を用いて可視化する。
from sklearn.metrics import confusion_matrix
import matplotlib.pyplot as plt
import seaborn as sns

# 混合行列を計算する。
cm = confusion_matrix(y_test, y_pred)
# 混合行列をヒートマップで可視化する。
sns.heatmap(cm, annot=True, cmap='Blues')

# x 軸のラベルを設定する。
plt.xlabel('Predicted')
# y 軸のラベルを設定する。
plt.ylabel('True')
```

モデルを変更するだけでコードの形式を変えずにほかのモデルも試すことができます。深層学習の場合には、一般的にTensorFlow[34] や PyTorch[35] がよく使用されます。本書のレベルを超えるので紹介しませんが、興味があれば公式のチュートリアルが参考になります。

2.4　大規模言語モデルと API
大規模言語モデル
大規模言語モデル（Large Language Model）とは、膨

---

34)　https://www.tensorflow.org/tutorials
35)　https://pytorch.org/tutorials/

大な言語データのパターンや関係性を学習し、その知識を用いて言語タスクをこなすことができるモデルのことです。現在、主流になっているものは OpenAI のシリーズのものです。まえがきで ChatGPT について触れましたが、まさに代表例です。今回はその API（Application Programming Interface）を使用してみます。API はソフトウェア同士でやり取りをするためのインターフェースです。つまり、スクリプトから GPT のモデルにアクセスします。

　知識がなくても視覚的に操作できる ChatGPT という無料の GUI（Graphical User Interface）があるのに、どうしてわざわざ課金してスクリプトを書いて CUI（Character User Interface）で操作する方法を説明するのかと怪訝に思われるかもしれません。主な理由としてはデータの保護と利便性の向上です。

　まず、データが保護されることについてです。執筆時点において、API 経由の入力データはモデルを改良するためのトレーニングデータとして使用されないことが明記されています。また、最大で 30 日間が経過したのちに破棄されることも約束されています。このことは入力できるデータの幅が広がり、研究機関や学校、企業などでも活用が可能になることを意味しています。考えてみれば ChatGPT に限らず当たり前のことですが、開発費のかかるシステムを無料で使わせてくれるのは、宣伝やデータ収集のためなのです。比較的安い対価を支払うことによって（https://openai.com/pricing）、自らの入力するデータを保護してもらうことができるのです（https://openai.com/policies/api-datausage-policies)。[36]

Starting on March 1, 2023, we are making two changes to our data usage and retention policies:

OpenAI will not use data submitted by customers via our API to train or improve our models, unless you explicitly decide to share your data with us for this purpose. You can opt-in to share data.

Any data sent through the API will be retained for abuse and misuse monitoring purposes for a maximum of 30 days, after which it will be deleted (unless otherwise required by law).

　利便性の向上についてですが、まとめてデータを処理したい場合に API を使用すると自動化でき、1 つずつ手作業でユーザインターフェースに入力する手間が省けます。また、サンプリング温度（temperature）の設定を 0 にすることで、モデルが同一である限り毎回同じ答えが返ってくるようにすることができます。今回は Python 経由の API の利用方法を紹介しますが、これまで紹介してきたようなスクリプトや自作のアプリケーションに組み込むことだってできるようになるのです。サービスを消費する側から作り出す側に近

---

36)　現状では ChatGPT の場合、オプトアウトフォームを提出するか（https://help.openai.com/en/articles/5722486-how-your-data-is-used-to-improve-model-performance）、チャットの履歴を無効にすることによって（https://help.openai.com/en/articles/7730893-data-controls-faq）、データを学習に使用されないようにすることができます。

づくことができます。

　さて、実際に使ってみることにしましょう。OpenAI が公開している API は公式サイト（https://platform.openai.com）から確認することができます。GPT-4 は現在、ウェイティングリストに登録して待たないと使用できるようになりませんが、使い方は紹介しておきます。現状では、利用料金が 1000 トークンあたり 0.002 ドルとかなり手頃な価格になっています。英語のトークンは多くの場合単語単位になりますが、日本語の場合は 1 文字で最大 3 トークンの扱いになることがあるようです。利用料金の上限を設定しておくとさらに安心です（https://platform.openai.com/account/billing/limits）。

　まずは、OpenAI のアカウントが必要になります。すでに、ChatGPT を利用したことがあれば、ログインするだけで問題ありません（https://platform.openai.com）。API キーを発行して、コピーしておきましょう（https://platform.openai.com/account/api-keys）。キーは他人の目に触れないように、取り扱いには十分に注意してください。安価とはいえ、流出して不特定多数の人に利用されてしまうと莫大な請求額になることがあります。支払い情報を登録すると（https://platform.openai.com/account/billing/overview）、すぐに使用できるようになります。

API の利用コード
以下のコードの **API_KEY** の部分を、さきほどコピーした API キーに置き換えて実行するだけです。これで、ChatGPT

に「あなたのことについて教えてください。」と入力したの
と同じになります。

```
# OpenAI をインストールする。
!pip install openai

# OpenAI をインポートする。
import openai

# API キーを設定する。
openai.api_key = 'API_KEY'

# 質問の内容を定義する。
content1 = ' あなたのことについて教えてください。'

# GPT-3.5-turbo モデルを使って回答を取得する。
response1 = openai.ChatCompletion.create(
    model='gpt-3.5-turbo',  # モデルの指定
    # model='gpt-4',
    temperature=0,
    # ランダム性の制御
    # (0: 一貫性のある回答, 1: より多様な回答 )
    messages=[
        {'role': 'user', 'content': content1},
        # ユーザーの質問
    ]
```

```
)
```

```
# 取得した回答を表示する。
response1['choices'][0]['message']['content']
```

出力結果は以下のようになりました。

　「私は人工知能の AI アシスタントです。私は自然言語処理技術を使用して、ユーザーの質問や要求に応えることができます。私は、様々なトピックに関する情報を提供し、タスクを実行することができます。私は 24 時間 365 日稼働しており、いつでも利用できます。私は、ユーザーのプライバシーを尊重し、個人情報を保護するために最善を尽くします。」

　もうすこし聞いてみましょう。会話の流れを理解させたい場合は、つぎのようにそれまでのやりとりをコンマでつなげてやります。自分の入力は role を user に、モデルの出力は assistant にします。つなげる会話が増えるとトークン数も増えるので、料金には注意しましょう。

```
# ユーザーの質問を定義する。
content2 = ' 具体的に何ができるのか教えてください。'
```

```
'''GPT-3.5-turbo モデルを使って、チャット形式で回答
を生成する。'''
response2 = openai.ChatCompletion.create(
    model='gpt-3.5-turbo',  # モデルを指定
```

```
# model='gpt-4',
temperature=0,
# 生成されるテキストのランダム性を制御
messages=[
    # ユーザーの最初の質問
    {'role': 'user', 'content': content1},
    # アシスタントの最初の回答
    {'role': 'assistant',
        'content': response1['choices']\
            [0]['message']['content']},
    # ユーザーの2番目の質問
    {'role': 'user', 'content': content2},
]
)


# アシスタントの回答を取得する。
response2['choices'][0]['message']['content']
```

返答は以下のとおりです[37]。

　　　私は、以下のようなことができます。

　　　　1. 検索：ユーザーが求める情報を検索し、答えを

---

37)　回答には明らかに現状の言語モデルが単独でできないことが述べ
られています。このような現象は hallucination（幻覚／幻惑）と呼
ばれます。人間の書いたもっともらしい文にも誤りは多く含まれるの
に、言語モデルの場合はこのような名前までつけられてしまうのはす
こし気の毒な気もします。

提供することができます。

2. 翻訳：ユーザーが入力した文章を翻訳し、別の言語で出力することができます。

3. 予定管理：ユーザーのスケジュールを管理し、リマインダーやアラートを設定することができます。

4. メール管理：ユーザーのメールアカウントを管理し、新着メールの通知や返信の自動化をおこなうことができます。

5. 音声認識：ユーザーが話した内容をテキストに変換し、処理することができます。

6. ニュース配信：ユーザーが興味を持つ分野のニュースを配信し、最新情報を提供することができます。

7. ショッピング支援：ユーザーが欲しい商品を検索し、価格比較や購入手続きの支援をおこなうことができます。

8. 会話：ユーザーとの会話を通じて、質問に答えたり、おしゃべりをしたりすることができます。

API では細かいパラメーターを設定できます。たとえば、temperature（サンプリング温度）を設定することで多様性を制限したり、n で返答の数を指定したり、max_tokens で出力の最大トークン数を入力したりできます。ここでは temperature を 0 に設定しているので、実行のたびに答えが変わることはなくなります。再現性が担保されることで、言語モデルは研究にも教育にもより活用しやすくなりま

す。

　この原稿の執筆段階では、ちょうど Google の Bard（https://bard.google.com/）が日本語に対応しました。オープンソースの言語モデルである Hugging Face の HuggingChat なども公開され始めています。

第 *3* 章 教育での利用

3.1　オリジナル英単語帳の作成
OCR とテキストファイルの保存

1.4 で紹介した技術を利用して、テキストファイルを読み込んで、オリジナルの単語帳を作ってみます。テキストファイルを処理できるようになると、ウェブ上に公開されていない英文でも取り扱えるようになります。

　まずは、分析したい英文を用意してみてください。手元にあるもので構いません。電子化されていないものは、文字認識（OCR）を活用しましょう。分量が少なければ、スマートフォンで Google Lens[38] を使用するのが便利です。メモ帳などのテキストエディタに貼りつけて、テキストファイル（.txt）として保存し、Google Drive にアップロードしてください。サンプルには test という名前で、Steve Jobs の Stanford University の卒業式のスピーチの原稿[39] を使用しています。ファイルを適切にアップロードし、パスを必要に応じて書き換えてください。

---

38)　https://lens.google
39)　https://news.stanford.edu/2005/06/12/youve-got-find-love-jobs-says のテキストを使用しました。ウェブ上に公開されているため、スクレイピングも技術的に可能です。

テキストファイルの読み込み

Google Drive のマウント方法を覚えているでしょうか。以下のコードを Colaboratory で実行すると、Google Drive をマウントすることができます。

```
# Google Drive をマウントする。
from google.colab import drive
drive.mount('/content/drive')
```

　パスを指定して、ファイルを読み込んでみましょう。Colaboratory のファイルマークのところで指定するフォルダーを選び、右の３つの点と「パスのコピー」を順にクリックします。コード上に貼りつけて、パスを書き換えましょう。以下のコードでは、content の中の drive の中の MyDrive の中に、test という名前の txt ファイルがあることを前提として、パスを指定しています。ファイルを読み込んで、テキストを表示してみます。

```
# ファイルを読み込む。
file = open(
    '/content/drive/MyDrive/test.txt')

# ファイルのテキストを取り出す。
text = file.read()
text
```

見出し語化

スペースごとに分割して、単語のリストを作成します。

```
# 単語ごとにリストにする。
words = text.split()
words
```

結果を見てみると、句読点が残っています。句読点などの記号を除去してみましょう。英語の記号で主なものはつぎのコードで表示できます。

```
# string モジュールをインポートする。
import string
```

```
# 句読点などの記号類を指定する。
string.punctuation
```

　ここで、処理方法を確認しておきましょう。たとえば、abcde から b と e を削除したい場合は、つぎのように書けます。maketrans の 1 つ目の引数に置き換え前の文字を、2 つ目に置き換え後の文字を、3 つ目に削除する文字を渡すことになっています。それぞれの文字はつづけて書きますが、1 文字ずつ解釈されます。置き換えの動作についても、あわせて確認しておくことにします。

```
'''abc において a を A、c を C に置き換え、b と e を削除
```

する。'''
```python
'abcde'.translate(
    str.maketrans('ac', 'AC', 'be'))
```

記号類を削除したい場合には、置き換えは使用しないため、
`maketrans` の１つ目と２つ目の引数は空欄にし、`string`
モジュールの句読点などの記号類を３つ目に指定します。

```python
''' 単語リストのそれぞれの語の中で、句読点などの記号が
あるものはその記号を削除する。'''
words = [
    word.translate(str.maketrans(
        '', '', string.punctuation))
    for word in words
]
words
```

英語では文頭が大文字になってしまいますが、文頭に出てき
た語もそれ以外の位置に出てきた語も同一の語として集計し
たいので、すべての文字を小文字にします。固有名詞や一人
称単数の代名詞などでは不都合ですが、今回は例外的な処理
はおこないません。

```python
# 単語リスト中のすべての文字を小文字にする。
words = [word.lower() for word in words]
words
```

屈折接辞を除去し、語を原形に戻します。1.4 で学んだ見出し語化を適用することで解決します。

```
# Natural Language Toolkit をインポートする。
import nltk
# WordNetLemmatizer をインポートする。
from nltk.stem import WordNetLemmatizer

# 必要なデータをダウンロードする。
nltk.download('omw-1.4')
nltk.download('wordnet')

# 見出し語化（単語を原形に戻す）処理をおこなう。
words = [WordNetLemmatizer().lemmatize(word)
        for word in words]
words
```

ストップワードの除去

ここでは、1.4 では処理をおこなわなかった機能語などの除去をしてみます。除去されるべき語（ストップワード）のリストは NLTK で用意されているものを使用します。

```
# ストップワードのリストをダウンロードする。
nltk.download('stopwords')

# 英語のストップワードのリストを呼び出す。
```

```
nltk.corpus.stopwords.words('english')
```

['ab', 'cd'] に含まれないものだけをプリントする場合は、以下のように書けます。in という演算子を使用すると、集合の中に特定の要素が含まれるかどうかを判断することができます。ここでは、集合の要素ではないものをプリントしたいので、not を使用して否定します。

```
''' ab, bc, cd のうち、ab, cd の要素でないものだけをプ
リントする。'''
for item in ['ab', 'bc', 'cd']:
    if item not in ['ab', 'cd']:
        print(item)
```

したがって、ストップワードではない語だけをリストにする場合は、つぎのようになります。

```
# 単語リストからストップワードを除去する。
words = [word for word in words
        if word not in
        nltk.corpus.stopwords.words\
            ('english')]
words
```

既知語の除去

さて、オリジナルの単語帳というからには、自分の知ってい

る単語は除きたいでしょう。そこで、知っている単語をつぎ
のようにそれぞれの行に 1 つずつ書いたテキストファイル
を作ります。

apple
banana
cherry

このファイルを英文テキストと同様の方法で読み込んでリス
ト化し、ストップワードと同じく除去します。本格的に既知
語のリストを作る場合には、既存の単語のリストから知らな
い単語を除去するとよいでしょう。たとえば、「日本人大学
生用英語基本語彙」のリスト[40]であれば、スプレッドシー
トをダウンロードできます。知っている単語、もしくは知ら
ない単語の横の列に任意の文字を入力しておき、ソートして
既知語のみを選択し、テキストエディタに貼りつけるのが簡
単でしょう。txt ファイルとして保存して、Google Drive
にアップロードすれば、準備完了です。
　さっそく、読み込んでみましょう。Google Drive の変更
が反映されていない場合には、Colaboratory のマウント用
アイコンの隣の更新用アイコンをクリックするか、再度
Drive をマウントするコードを実行してみましょう。サンプ
ルでは、仮に上位 2000 語が既知であるという想定のも
と、my_vocab.txt という名前で、test.txt と同じ場所に

---

40)　http://language.sakura.ne.jp/s/voc.html#:~:text= 日本人
　　大学生用英語基本語彙

アップロードしています。

```
# ファイルを読み込む。
file = open(
    '/content/drive/MyDrive/my_vocab.txt')
```

```
# ファイルのテキストを取り出す。
my_vocab = file.read()
```

```
# 既知語のリストを作る。
my_vocab = my_vocab.split()
my_vocab
```

ストップワードの場合と同様に、知っている語を除去します。

```
# 単語リストから既知の単語を除去する。
words = [word for word in words
         if word not in my_vocab]
words
```

単語の出現回数をカウントしてみましょう。

```
# 単語の出現回数を数える。
from collections import Counter
```

教養検定会議の二つの双書　新刊・既刊

判型はすべて新書判、2021 年から刊行を開始しています

新刊 *リベラルアーツ言語学双書 3*

「やわらかい文法」

定延利之 著 / 3 月 10 日発売 / 定価 1500 円＋税

フツーの人たちの「ちょっと面白い話」を 600 話も集めてビデオに取り、字幕を付けてウェブ公開した「ちょっと変わった言語学者」の楽しい文法書 / キャラ（状況次第で非意図的に変わる人間の部分、…）/ きもちの文法（きもちを表せば発話が自然になる？）/ 心内表現における自己 / 他者の区別（自己らしさの減衰、アニマシーの退色…）/ 発話の権利とコミュニケーション（責任者/体験者の特権性…）/ 人々の声（空気すすり、口をとがらせた発話、口をゆがめた発話、…）

新刊 *リベラルアーツコトバ双書 6*

「ウクライナ・ロシアの源流　―スラヴ語の世界―」

渡部直也 著 / 4 月 10 日発売 / 定価 1500 円＋税

戦争の時代にスラブ語の研究をしている若手著者による貴重な記録。初の単行本。
/ スラヴ諸語とは？ / 中欧・東欧言語紀行（スラヴ諸語の歴史と地理）/ スラヴ語の世界：Я は R じゃない！（文字について）/ キーウとキエフは何が違う？ / 動詞の「顔」と「体」/「ありがとう」を伝えよう /「看護婦」や「女教師」は差別？ / 言語と国家、戦争 / 今ウクライナで起こっていること

ことばに関する幅広いトピックを気軽に読めるシリーズ

★ リベラルアーツコトバ双書 ─────

1 日本語のふしぎ発見！ ～日常のことばに隠された秘密～

岸本秀樹 著 / 定価 1000 円＋税

内容の理解を深めるイラスト 48 枚を収録

**2 言語学者、外の世界へ羽ばたく
～ラッパー・声優・歌手とのコラボから
プリキュア・ポケモン名の分析まで～**

川原繁人 著 / 定価 1000 円＋税

本シリーズのベストセラー

3 中国のことばの森の中で
～武漢・上海・東京で考えた社会言語学～

河崎みゆき 著 / 定価 1500 円＋税

中国社会言語学に関する初の日本語の入門書。中国語がわからなくても読め、社会言語学の概念や用語、そしてことばと社会の関係を、関連するエピソードや研究を通してわかりやすく解説。

4 jsPsych によるオンライン音声実験レシピ

黄竹佑・岸山健・野口大斗 著 / 定価 1500 円＋税

ウェブブラウザを使用したオンライン音声実験の入門書。対面実験が再開されつつあるなかでも、地理的・時間的制約が少なく、コストや効率の面でも色あせないオンライン実験。魅力的な実験手法をあなたの新たなレパートリーに。

5 自然言語と人工言語のはざまで
～ことばの研究・教育での言語処理技術の利用～

野口大斗 著 / 定価 1500 円＋税

コンピュータが言語を生成できる時代にことばとどう付き合うべきか？ プログラミング言語（人工言語）とことば（自然言語）のはざまで生きることを余儀なくされたわたしたちが、AI とひとくくりにして言語処理技術をブラックボックスにしないために。

言語学を本格的に学びたい方へ、わかりやすく解説するシリーズ
★ リベラルアーツ言語学双書

1 じっとしていない語彙

西山國雄 著 / 定価 1000 円＋税

2 日本語の逸脱文
～枠からはみ出た型破りな文法～

天野みどり 著 / 定価 1000 円＋税

2024 年 3 月現在、近刊『未来の言語学入門』岸山健 著　2024 年 12 月刊

```
# Counter を使って、単語の出現回数を計算する。
freq = Counter(words)

# 出現回数を表示する。
freq
```

数字や短縮形、ed で終わる動詞などはうまく処理されていませんが、今回はコードを簡潔にするため、処理を省きます。見やすさのために、3 回以上出現し、長さが 7 文字以上の語を抽出します。

```
'''3 回以上出現し、文字数が 7 以上である語のみ抽出し、
target という変数に格納する。'''
target = [word for word,
          frequency in freq.items()
          if frequency >= 3 and \
          len(word) >= 7]
target
```

語義の付与
それぞれの語に意味を与えてみます。ここでは Python 上で完結させる方法を紹介しますが、Google スプレッドシートの googletranslate 関数[41] を使用したり、これから紹介するファイルと vlookup 関数[42] を組み合わせたりする

---

41)　https://support.google.com/docs/answer/3093331?hl=ja

方法もあります[43]。辞書はつぎのウェブサイトからテキスト形式のものをダウンロードして、zip ファイルを展開してください。

https://kujirahand.com/web-tools/EJDictFreeDL.php

フォルダーの中の ejdict-hand-utf8.txt のみを Drive にアップロードします。以前に CSV（コンマ区切り）ファイルを扱いましたが、ここでは TSV[44]（Tab-separated values；タブ区切り）ファイルです。pandas の read_table を利用して読み込み、辞書形式にしてみましょう。

```
# pandas をインポートする。
import pandas as pd

'''read_table を使用して、Drive にアップロードした英
和辞書を読み込む。'''
df = pd.read_table(
    '/content/drive/My Drive/'\
        'ejdict-hand-utf8.txt',
```

---

42) https://support.google.com/docs/answer/3093318?hl=ja
43) 英語による定義でよい場合は、NLTK 経由で WordNet を使うのが簡便でしょう。
44) 今回 CSV ファイルではなく TSV ファイルを使うのは、語義の中にコンマが含まれているためです。

```
    header=None)
```

```
'''0番目の列と1番目の列をそれぞれセットにして、辞書
形式のデータにする。'''
dictionary = dict(zip(df[0], df[1]))
dictionary
```

それでは、それぞれの語に意味を付与しましょう。辞書に登
録されていない語や適切に見出し語化できていない語でエ
ラーが出るのを防ぐため、プリントの前に辞書にあるかどう
かを確認するようにしています。

```
''' 対象の単語が辞書に登録されている場合、単語とその意
味をペアで出力する。'''
for t in target:
    if t in dictionary:
        print(t, dictionary[t])
```

オリジナルの単語を作ることができるようになりました。同
様の技術を活用することで既習語を管理したり、試験の語彙
レベルをコントロールしたりすることも可能になります。

3.2　ライティングとその添削
言語処理技術の発展と言語学習
言語を学習したい場合に言語処理の技術を活用しない手はあ
りません。ここではテクノロジーを使用せずに言語を使用で

きる能力を身につけたい場合に、どのように言語処理技術を学習の過程で活用できるのか、英語のライティングを例にとって考えてみます。

既存のツールを使ったライティング

最終的に機械に頼らないことが目標であるなら、まずは自力で英文を書いてみることが必要です。何も使わずに頭の中にある知識だけで英語を紡ぎだしてみてください。つぎにわからないことは辞書[45]をひいてみましょう。単語同士のつながりが適切かどうかを調べるには、コロケーション辞書を使ってみます。より洗練された語がないかを探したり、繰り返しを避けたりするにはシソーラス（類義語辞典）[46]を使います。同じ構造の文が繰り返されていないか、冗長な表現はないかも見直します。ここまでできたら、自分で文法の確認をしてみましょう。完成したら、いよいよテクノロジーの出番です。

　はじめにスペルチェックをかけてみましょう。つづけて、オンライン上の英文校正サービスを利用します。Grammarly[47] や LanguageTool[48]、DeepL Write[49]

---

45)　機械翻訳を単語の検索に使うことは推奨しません。機械翻訳では、句以上の長めの単位で入力するのが望ましいです。
46)　意外と知られていないようですが、Microsoft Word にも付属しています。Google で語の後ろに synonyms とつけて検索するのも便利です。
47)　https://www.grammarly.com
48)　https://languagetool.org
49)　https://www.deepl.com/write

などの使用が想定されます。ChatGPT[50) に「文法の間違いを指摘して」とお願いしてみるのもよいでしょう。ここまでできたら、英語を日本語に DeepL などで機械翻訳してみましょう。言いたかったことが伝わっているでしょうか。もしおかしいようであれば、英語を書き換えてみましょう。そして、逆翻訳（出てきた日本語を再度英語に）し、出てきた英文を自分が書いたものと見比べます。機械翻訳のもののほうがよければ、そちらを採用しましょう。この段階で日本語を編集してみるのもよいでしょう。DeepL では出力結果の語をクリックすると、ほかの候補を表示することもできます。

添削の自動化

さきほどまでは書く側の立場で見てきましたが、教える側はテクノロジーをどう使えるのでしょうか。基本的には人間の視点から確認してコメントすればよいわけですが、違うシステムあるいは複数のもので教員側でもチェックをかけたいかもしれません。その場合のために、ここでは登録不要かつ無料で使える LanguageTool の API[51) を紹介しておきましょう。

　つぎの URL をブラウザに貼りつけてみてください。%20はスペースを表していて、**This%20are%20the%20incorrect %20sentences.&language**（This are the incorrect

---

50)　https://chat.openai.com/chat

51)　Application Programming Interface の略で、人間とソフトウェアではなくソフトウェア同士で使われるインターフェースです。

sentences.）を en-US（アメリカ英語）で校正せよとい
う意味です。JASON という形式でデータが返ってきます。
https://api.languagetoolplus.com/v2/check?text
=This%20are%20the%20correct%20sentences.&
language=en-US
Python から実行してみましょう。まずは URL を使った
バージョンです。

```python
# URL を使用した校正をおこなう。
import requests
import json

# API のエンドポイントを指定する。
url = 'https://api.languagetool.org/v2/check'

# 校正したいテキストを定義する。
text = 'This are the incorrect sentences.'

# パラメータ（テキストと言語）を設定する。
params = {
    'text': text,
    'language': 'en-US'
}

# API にリクエストを送信する。
response = requests.post(url, data=params)
```

```
# レスポンスを JSON 形式に変換する。
result = json.loads(response.text)
result
```

ライブラリーから使用してみましょう。

```
# ライブラリーをインストールする。
!pip install language-tool-python
```

```
# ライブラリーをインポートする。
from language_tool_python import LanguageTool
```

```
# 校正するテキストを定義する。
text = ' This are the correct sentences.'
```

```
# LanguageTool インスタンスを作成する。
tool = LanguageTool('en-US')
```

```
# テキストをチェックして、マッチするものを取得する。
matches = tool.check(text)
matches
```

つぎのようにプリントすると見やすいかもしれません。

```
# matches の中のエラーを 1 つずつ取り出して表示する。
for error in matches:
```

```
    print(error)
```

翻訳に関しては、別のライブラリーを使用します。

```
# requests ライブラリーをインポートする。
import requests

# 翻訳関数を定義する。
def translate(text):
    # API エンドポイントを設定する。
    endpoint = \
    'https://api.mymemory.translated.net/get'

    ''' パラメータ（翻訳したいテキストと言語ペア）を設
定する。'''
    params = {
        'q': text,
        'langpair': 'en|ja'
    }

    # API にリクエストを送信する。
    response = requests.get(
        endpoint, params=params)

    # JSON データを取得する。
    data = response.json()
```

```
  # 翻訳結果を返す。
  return data

# 翻訳したいテキストを定義する。
text = ' This is a grammatically correct sentence.'

# テキストを翻訳する。
translation = translate(text)

# 翻訳結果を表示する。
print(translation['responseData']\
    ['translatedText'])
```

2 つを組み合わせると、エラーメッセージを翻訳することができます。

```
# マッチしたエラーを 1 つずつ処理する。
for error in matches:
    # エラーメッセージを翻訳する。
    translation = translate(error.message)
    # 翻訳されたテキストを表示する。
    print(translation\
        ['responseData']['translatedText'])
```

LMS（Learning Management System）にテキストで提出するようにしておくと CSV ファイルにダウンロード

し、自動でエラーのコメントを入れて、一括アップロードすることができるようになります。言語モデルを活用するとより細かい添削やコメントを生成することも可能になります。

3.3　スピーキングアプリ

認識結果の収集

サーバーを用意せずにウェブアプリを作成するために、Python ではなく、Google Apps Script を使用します。音声を認識してその認識結果をスプレッドシートに表示するウェブアプリを作ることがテーマです。たとえば、今回の方法を使用することで、スピーキングの課題を作成することができます[52]。音声自体は収集しないため、プライバシーなどの問題もなく、文字化されているので、フィードバックも比較的簡単におこなえます。

　かなりコードが複雑になってきますが、ブロック単位でざっくりと何をしているのかがわかれば、問題ありません。コピーしてうまく動作すれば大成功です。積み上げ式だけではなく、実際にアウトプットする形式から細分化して、必要なことを調べていくという選択肢を持っておくことは有用です。

　いまは何をしているのかわからなかったとしても、必要に

---

52)　ライティングの課題は一般的ですが、スピーキングの課題は録音データをアップロードさせる必要があり、通常速度で再生した場合には発話時間と同じだけ確認時間がかかるので、用いられることは稀です。また、ライティングでもそうですが、人数分だけファイルを処理しないといけない状況を作るのは間違いなく悪手です。

迫られて読み返してみたときに、それぞれのコードの意味が
わかるかもしれません。また、実際にアウトプットが必要に
なったときに、それまでインプットしてきたこととアウト
プットに必要なことには乖離があることに気づくかもしれま
せん[53]。覚えようとしたり、最初から完璧を目指したりせ
ずに、必要なことはその都度調べて、わからないことはそっ
と頭の片隅にしまっておくくらいの気分で、気楽に取り組ん
でみてください。

JavaScript

まずは、JavaScript を使用して音声を認識してみましょ
う。ウェブサイトは HTML で書かれているという話をスク
レイピングの紹介でしました。ほかにも CSS で見た目に関
する設定がなされます。さらに JavaScript はウェブサイ
トを動的に変化させるために使用されます。クリックしたり
マウスをかざしたりしてページが変化するのは、JavaScript
のおかげです。ウェブブラウザで JavaScript を無効にし
てみてください。Amazon のような通販サイトや YouTube
のような動画サイトが実験に適していて、面白いでしょう。
Amazon では正常に動作するのはリンクのみだけで、写真
が切り替えられなかったり、YouTube に関しては、もはや
動画投稿サイトではなくなってしまったりすることがわかり

---

53)　英語の例を挙げると、文法の授業では選択式の試験を作りやすい
　　文法項目を偏重することが多いです。しかし、実際に英語を書いたり
　　話したりしてみると必要なのは、主語の選択、冠詞の使用、名詞の可
　　算性、時制と動詞の屈折変化などであることが多いです。

ます。JavaScript の身近さとありがたさに身をもって気づ
くことでしょう。

　さて、さっそく動かしてみましょう。今回は Google
Chrome を使用している前提で話を進めます。ほかのブラウ
ザを使用している場合は、適宜ウェブなどで検索して調べて
みてください。コンソールという画面を使用します。Google
Chrome の右上のボタンから、「その他のツール」 -->
「ディベロッパーツール」とクリックし、開いたウィンドウ
の "Console" をクリックします。つぎのように入力して
Enter キーをクリックすると、文字列がプリントされます。

```
// 「Hello.」という文字列をコンソールに出力する
console.log('Hello.');
```

内蔵あるいは外付けのマイクを用意したうえで、以下のコー
ドをおまじないだと思って、貼りつけてみてください。
Web Speech API というインターフェースを使用して、音
声認識結果をプリントするようになっています。マイクの使
用を許可して、マイクが反応しているあいだになにか英語で
話しかけてみてください。マイクの反応に間に合わなかった
場合は、ページを再読み込みしましょう。認識された音声が
文字としてプリントされます。

```
// SpeechRecognition オブジェクトを作成する。
/* webkitSpeechRecognition が存在すればそれを使用
し、存在しなければ SpeechRecognition を使用する。*/
```

```
SpeechRecognition = webkitSpeechRecognition
|| SpeechRecognition;

/* 新しい SpeechRecognition インスタンスを作成する。
*/
const recognition = new SpeechRecognition();

// onresult イベントのリスナーを設定する。
recognition.onresult = (event) => {
  // 結果をコンソールに出力する。
  console.log(event.results[0][0].transcript);
}

// 音声認識を開始する。
recognition.start();
```

このままでは開発者モードを開いたままにしておかないと認
識文字列がわからないので、ポップアップして表示させてみ
ます。console.log ではなく、alert に変更して同じことを
繰り返してみてください。マイクの使用許可をたずねるのと
同じ形式で、音声認識結果が表示されるはずです。

HTML への組み込み
それでは、コードを HTML に組み込んでみましょう。さき
ほどのコードをタグで囲ったものをテキストエディタに貼り
つけて、拡張子を html にして保存してみましょう。ブラウ

ザから開くとこれまでと同様に動作するはずです。

```html
<!-- スクリプト開始 -->
<script>
  // SpeechRecognition オブジェクトを作成する。
  SpeechRecognition = webkitSpeechRecognition ||
SpeechRecognition;

  // 新しい SpeechRecognition インスタンスを作成する。
  const recognition = new SpeechRecognition();

  // 結果が得られたときのイベントハンドラを設定する。
  recognition.onresult = (event) => {
   // 結果をアラートで表示する。
   alert(event.results[0][0].transcript);
  }

  // 音声認識を開始する。
  recognition.start();
</script>
<!-- スクリプト終了 -->
```

実際に認識結果でページの内容を書き換えてみましょう。
「音声認識結果」というプレイスホルダー（仮の文字列）を
入れておき、認識結果で書き換えることができます。

```
<!-- スクリプト開始 -->
<script>
  // SpeechRecognition オブジェクトを作成する。
  SpeechRecognition = webkitSpeechRecognition ||
SpeechRecognition;

  // 新しい SpeechRecognition インスタンスを作成する。
  const recognition = new SpeechRecognition();

  // 結果が得られたときのイベントハンドラを設定する。
  recognition.onresult = (event) => {
    // 結果をプレイスホルダーで書き換える。
    var result = document.getElementById("speech");
    result.textContent = event.results[0][0].transcript;
  }

  // 音声認識を開始する。
  recognition.start();
</script>
<!-- スクリプト終了 -->

<!-- 音声認識結果を表示する要素 -->
<p id='speech'> 音声認識結果 </p>
```

Google Apps Script

このままでは、自分のコンピューター上でしか使用できない

109

ため、ウェブ上に公開してみましょう。通常はサーバーが必要ですが、ここでは Google が用意しているものを利用します。Google Apps Script を使ってみましょう。Google のアプリを操作することができる言語です。Drive 上からでも以下のリンクからでも開けます。

https://script.google.com/home/projects/create

ファイルの横の「+」のマークをクリックし、HTML を選択します。そこに、さきほどのコードを貼りつけて書き換えます。ファイル名は「無題」から index にしておきましょう。すると、自動的に拡張子が付与されて、「index.html」となります。

```html
<!-- スクリプト開始 -->
<script>
  // SpeechRecognition オブジェクトを作成する。
  SpeechRecognition = webkitSpeechRecognition ||
SpeechRecognition;

  // 新しい SpeechRecognition インスタンスを作成する。
  const recognition = new SpeechRecognition();

  // 結果が得られたときのイベントハンドラを設定する。
  recognition.onresult = (event) => {
    // 結果をプレイスホルダーで書き換える。
```

```
  var result = document.getElementById("speech");
  result.textContent = event.results[0][0].transcript;
}


// 音声認識を開始する。
recognition.start();
</script>
<!-- スクリプト終了 -->


<!-- 音声認識結果を表示する要素 -->
<p id='speech'> 音声認識結果 </p>
```

「コード .gs」をクリックし、もとから表示されているコードを削除し、以下のものを貼りつけます。これで準備は完了です。

```
// doGet 関数を定義する。
function doGet() {
  // 'index' ファイルから HTML 出力を作成して返す。
  return HtmlService.createHtmlOutputFromFile('index');
}
```

フロッピーディスクマーク -->「デプロイ」-->「新しいデプロイ」の順にクリックします。「種類の選択」で「ウェブアプリ」を選び、「アクセスできるユーザー」を必要に応じ

て変更してください。「デプロイ」をクリックして、ウェブアプリの下に表示されている URL からアクセスできるようになります。

コンテナバインド方式

さきほどのコードはスタンドアロンという独立タイプでしたが、アプリと結びついたコンテナバインドという方式を使用してみましょう。今回はスプレッドシートを使いたいので、まずアプリを開きます。Drive からでも以下のリンクからでも開くことができます。

https://docs.google.com/spreadsheets/u/0/create

「拡張機能」、"Apps Script" の順にクリックすると、さきほどと同じ画面が出てきます。しかし、今回のスクリプトは開いているスプレッドシートに紐づけられています。それでは、HTML に以下のものをコピーしてみましょう。名前は今回も index としておいてください。中身はわからなくて構いません。興味があれば、HTML のフォームの書き方と JavaScript のイベントについて調べてみるとよいでしょう。

```
<!DOCTYPE html>
<html>
  <head>
    <base target='_top'>
```

```html
  </head>
  <body>
    <form id='myForm'>
      <!-- 名前入力欄 -->
      <label for='name'> 名前 :</label>
      <input type='text' name='name' id='name'>
<br><br>

      <!-- メールアドレス入力欄 -->
      <label for='email'> メールアドレス :</label>
      <input type='email' name='email' id='email'>
<br><br>

      <!-- 送信ボタン -->
      <input type='button' value=' 送信 ' onclick=
'submitForm()'>
    </form>

    <script>
      // フォーム送信処理を記述する。
      function submitForm() {
        google.script.run.processForm(document.forms
[0]);
        document.getElementById('myForm').reset();
      }
    </script>
```

```
  </body>
</html>
```

コード .gs のほうにはつぎのものを貼りつけておきましょう。ここも魔法の呪文との認識で構いません。HTML を出力し、フォームに入力された名前とメールアドレスが、アクティブなシートに書き込まれます。

```
// doGet 関数
function doGet() {
  // index ファイルから HTML 出力を作成して返す。
  return HtmlService.createHtmlOutputFromFile('index');
}


// processForm 関数
function processForm(form) {
  /* アクティブなスプレッドシートのアクティブなシートを取得する。*/
  var sheet =
SpreadsheetApp.getActiveSpreadsheet().getActiveSheet();

  /*受け取ったフォームデータ(名前とメールアドレス)を新しい行に追加する。*/
  sheet.appendRow([form.name, form.email]);
```

```
}
```

スピーキング課題アプリ

何が起こるかさきにお伝えしてしまいましたが、実行してみましょう。さきほどと同じ手順でデプロイしてみてください[54]。警告メッセージを確認のうえ、許可を与えないと進めません。フォームに適当な文字列を入れて送信してみましょう。手元のスプレッドシートにデータが収集されたはずです。もう 1 度、違う内容でフォームを送信してみましょう。つづきの行にデータが追加されます。テキストだけであれば Google Forms[55] でも簡単にできるので、今回の目的である音声認識と組み合わせてみましょう。HTML は以下のようになります[56]。

```
<!DOCTYPE html>
<html>
  <head>
    <!-- ターゲットをトップに設定 -->
    <base target='_top'>
```

---

54)　学校などの組織で発行されている Google アカウントでは、組織内のユーザーに限定することもできます。また、同一ドメインの場合はメールアドレスを収集できるため、メールアドレスと名前や ID などの辞書を作成しておくと、それらの情報を入力する必要や打ち間違いによる修正などが不要になり、簡単に確認メールも送信できます。

55)　https://docs.google.com/forms

56)　認識内容のフォーム欄がキーボード入力可能であると、音声入力を使用せずにキーボードで入力できてしまうため、制限をかけています。知識があれば制限をかいくぐることは可能です。

```html
  </head>
  <body>
    <!-- フォーム -->
    <form id='myForm'>
      <!-- 名前入力欄 -->
      <label for='name'>名前:</label>
      <input type='text' name='name'
id='name'><br><br>

      <!-- メールアドレス入力欄 -->
      <label for='email'>メールアドレス:</label>
      <input type='email' name='email'
id='email'><br><br>

      <!-- 認識結果表示欄 -->
      <label for='result'>認識結果:</label>
      <textarea name='result' id='result'
readonly> </textarea>

      <!-- 送信ボタン -->
      <input type='button' value=' 送信 '
onclick='submitForm()'>
    </form>

    <script>
      // 音声認識の設定をする。
```

```
    SpeechRecognition =
webkitSpeechRecognition || SpeechRecognition;
    const recognition = new
SpeechRecognition();

    // 認識結果を取得する。
    recognition.onresult = (event) => {
     var result =
event.results[0][0].transcript;

document.getElementById('result').textContent
= result;
    }

    // 音声認識を開始する。
    recognition.start();

    // フォームを送信する。
    function submitForm() {

google.script.run.processForm(document.forms
[0]);

document.getElementById('myForm').reset();
    }
  </script>
```

```
  </body>
</html>
```

コード.gs はつぎのようにします。

```
// doGet 関数
function doGet() {
  // index ファイルから HTML 出力を作成して返す。
  return HtmlService.createHtmlOutputFromFile('index');
}


// processForm 関数
function processForm(form) {
  /* アクティブなスプレッドシートのアクティブなシートを取得する。 */
  var sheet = SpreadsheetApp.getActiveSpreadsheet().getActiveSheet();

  // form のデータを行に追加する。
  sheet.appendRow([form.name, form.email, form.result]);
}
```

さて正常に動作したら大成功です。ライティングではなくス

ピーキングの練習をしてほしいので、認識内容は書き換えられないようにしています。長くなってきたので、ここまでにしましょう。3.4 では、受領確認メールの送信も含めて、アプリを実用的に使えるようにしていきます。

3.4　アプリによるメールの自動送信
実用化を目指して
3.3 ではスピーキング練習用のウェブブラウザ上で動作し、結果を Google Spreadsheet に送信するアプリを作成しました。ブラックボックス状態でコードを貼りつけましたが、今回は説明をくわえつつ、問題点を改善していきます。手作り感がありながらも、実際の教育の現場で使えるレベルを目指して、提出確認のメールを自動送信するところまで紹介します[57]。

ボタンの設置
現状ではページを読み込んだ段階で自動的に音声認識が開始されて、一定時間音声を入力しないと認識しなくなってしまいます。任意のタイミングでスタートとストップができるように、ボタンを設置しましょう。ボタンが押されたときに開始したいので、無条件に認識を開始するコードは削除します。

```
<!--【変更前】
```

---

[57]　自信がない場合はテスト用のアカウントの使用をお勧めします。

```
    <input type='button' value=' 送信 '
onclick='submitForm()'>
    -->


<!-- 【変更後】 -->
<input type='button' value=' スタート '
onclick='startRecognition()'>
<input type='button' value=' ストップ '
onclick='stopRecognition()'>
<input type='button' value=' 送信 '
onclick='submitForm()'>
```

もちろん、ボタンが押されたときに実行される関数もそれぞ
れ定義します。

```
/*【変更前】
    recognition.start();

    function submitForm() {

google.script.run.processForm(document.forms
[0]);

document.getElementById('myForm').reset();
    } */
```

```
//【変更後】
// 提出ボタンが押された際の動作を定義する。
function submitForm() {

google.script.run.processForm(document.forms
[0]);
  document.getElementById('myForm').reset();
}

// 開始ボタンが押された際の動作を定義する。
function startRecognition() {
  recognition.start();
}

// 停止ボタンが押された際の動作を定義する。
function stopRecognition() {
  recognition.stop();
}
```

ここまでの変更で、自由なタイミングで開始と終了が可能に
なりました。

途中結果
途中結果の利用を有効にします。そのうえで、最初から最後
までの語を結合していき、その結果でフォームの値を書き換
えます。最終的には認識途中にもその結果をリアルタイムで

表示できるようにします。

```
/*【変更前】
    recognition.onresult = (event) => {
      var result =
event.results[0][0].transcript;

document.getElementById('result').textContent =
result;
}*/
```

```
<!--【変更後】 -->
// 認識結果を取得するイベントリスナーを用意する。
recognition.onresult = (event) => {
  // 認識結果を取得する。
  var result = event.results[0][0].transcript;

  // 認識結果で HTML を書き換える。
  document.getElementById('result').textContent
= result;
}

// 最終的な認識結果を格納する変数を用意する。
let finalTranscript = '';

// 途中の認識結果を格納する変数を用意する。
```

```
let interimTranscript = '';

// 認識結果を取得するイベントリスナーを用意する。
recognition.onresult = (event) => {
  // 途中の認識結果を初期化する。
  interimTranscript = '';

  /* 認識結果を取得し、最終的な認識結果と途中の認識結果
に分ける。*/
  for (let i = event.resultIndex; i <
event.results.length; i++) {
    if (event.results[i].isFinal) {
      finalTranscript +=
event.results[i][0].transcript;
    } else {
      interimTranscript +=
event.results[i][0].transcript;
    }
  }

  // 認識結果で HTML を書き換える。
  document.getElementById('result').innerHTML =
finalTranscript;
};
```

テキストボックス

テキストボックスのサイズを調整しましょう。さらに、うまく認識されなかった箇所を意図したものにタイプしなおして修正できるように、もう1つテキストボックスを用意します。こうすることで、実際に話した内容を再度文字で確認する機会を提供することができます。利用者に貼りつけなおす手間をかけさせないために、認識結果も入れられるようにします。こちらは編集可能な状態にしておきましょう。

```html
<!-- 【変更前】
    <label for='result'> 認識結果 :</label>
    <textarea name='result' id='result'
readonly> </textarea>-->


<!-- 【変更後】 -->
<!-- 認識結果のラベル -->
<label for='result'> 認識結果 :</label>
<!-- 音声認識を利用せずに打ち込むことを避けたいので、
readonly にする。 -->
<textarea rows='10' cols='50' name='result'
id='result' readonly></textarea>
<br><br>


<!-- 編集結果のラベル -->
<label for='result_edit'> 編集結果 :</label>
<!-- 編集結果用のテキストエリア -->
```

```
<textarea rows='10' cols='50' name='result_edit'
id='result_edit'></textarea>
```

リアルタイムでの表示

認識結果をフォーム外にも表示できるようにします。認識後
すぐの文字はグレーで表示するようにします。認識が終わっ
たあとにまとめて表示するのではなく、順次結果を表示して
いくことで、利用者の発音が使用している音声認識モデルに
とって聞き取り可能なものであるかどうかが、リアルタイム
でフィードバックされます。

```
<!--【変更前】
  <form id='myForm'>
    <label for='name'> 名前 :</label> -->


<!--【変更後】 -->
  <form id='myForm'>
    <!-- 結果を表示する div 要素 -->
    <div id='result-div'></div>
    <br>
    <label for='name'> 名前 :</label>

/*【変更前】
    const recognition = new
SpeechRecognition();*/
```

```
//【変更後】
// SpeechRecognition オブジェクトを作成する。
const recognition = new SpeechRecognition();

// 中間結果を取得するように設定する。
recognition.interimResults = true;

// 連続的に音声認識をおこなうように設定する。
recognition.continuous = true;

/*【変更前】
document.getElementById('result').innerHTML =
finalTranscript; */

//【変更後】
    /* 結果を表示する div 要素に最終結果と中間結果を
表示する。*/
    document.getElementById('result-
div').innerHTML = finalTranscript + '<span
style="color: gray">' + interimTranscript +
'</span>';

    // 結果を表示する要素に最終結果を表示する。
document.getElementById('result').innerHTML =
finalTranscript;
```

```
    // 編集用の要素に最終結果を表示する。
document.getElementById('result_edit').innerHT
ML = finalTranscript;
```

これでフォームは完成です。

他言語への対応
すでに気づいた方もいると思いますが、デフォルトでは英語を認識するようになっていて、日本語には反応しません。例はこのまま英語で進めますが、日本語教育などで利用する場合は、明示的に言語を指定します。もちろん、ほかにも多くの言語に対応していますので、必要に応じて調べてみてください。

```
// 言語を日本語に設定する。
recognition.lang = 'ja';
```

Google Apps Script（収集項目の追加）
今回は認識内容の修正欄を作ったので、項目を追加します。

```
/*【変更前】
  sheet.appendRow([form.name, form.email,
form.result]); */
```

```
//【変更後】
/* シートに新しい行を追加し、フォームから取得した名前、
```

127

メールアドレス、結果、編集後の結果を追加します。*/

```
sheet.appendRow([form.name, form.email,
form.result, form.result_edit]);
```

このままでは随時、結果がシートに送信されてしまうので、送信ボタンが押された時に1度だけ送信するようにします。左側のタイマーマークにカーソルをかざして「トリガー」、つぎに右下の「トリガーの追加」をクリックします。「実行する関数を選択」には processForm を、「イベントの種類を選択」には「フォームを送信時」を設定して保存します。

メールの自動送信

メールの自動送信は以下のコードで実行可能です。フォームからの情報と時刻を変数に格納します。MailApp.sendEmail の引数として、順にメールアドレス、件名、本文を与えれば、受領確認のメールを送信することができます[58]。これを processForm 内にくわえてみましょう。

```
// 変数を宣言する。
var emailAddress = form.email; // メールアドレス
var voice = form.result; // 音声認識結果
var text = form.result_edit; // 修正結果
var date = new Date(); // 現在の日時
```

---

58) 送信専用の関数のため、メールを削除してしまう心配がありません。

```
// メールを送信する。
MailApp.sendEmail(
  emailAddress,
  ' 課題提出確認 ',
  ' 課題を受け取りました。' + '\n' + ' 音声認識結果 :'
+ '\n' + voice + '\n' + ' 修正結果 :' + '\n' +
text + '\n' + date
);
```

利便性を考えて

同じ組織内のアカウントを持っている場合には、メールアドレスを自動収集することが可能です。以下のように書き換えると、自動収集されたアドレスにメールが送信されるため、名前とメールアドレスの入力が不要になります。

```
/*【変更前】
  var emailAddress = form.email; */
```

```
//【変更後】
/* セッションからアクティブユーザーのメールアドレスを
取得する。*/
var emailAddress =
Session.getActiveUser().getEmail();
```

Google のアカウントにログインした状態で、リンクをクリックするだけで使用できるようになります。そのため、

LMSなどよりも操作のストレスは少なくて済みます。また、名前やメールアドレスの打ち間違いもなくなります。メールアドレスと学籍番号に対応関係のある場合には、受け取る側の処理も簡単です。法則がない場合でも、Googleフォームなどで1度メールアドレスを把握すれば問題ありません。名前やメールアドレスの打ち間違いもなくなります。それだけではなく、なりすましもアカウントが適切に管理されている限りにおいて起こりにくいです。

　最後にすっきりと書き直したHTMLとGoogle Apps Scriptのコードを掲載しておきます。前回の手順にしたがってデプロイすることで使用できるようになります。

```html
<!--index.html-->
<!DOCTYPE html>
<html>
  <head>
    <base target="_top">
  <body>
    <div id="result-div"></div>
    <br>
    <form id="myForm">
      <label for="name">名前:</label>
      <input type="text" name="name"
id="name"><br><br>
      <label for="email">メールアドレス:</label>
      <input type="email" name="email"
```

```
id="email"><br><br>
    <label for="result"> 認識結果 :</label>
    <textarea rows="10" cols="50"
name="result" id="result" readonly>
</textarea><br><br>
    <label for="result_edit"> 編集結果 :</label>
    <textarea rows="10" cols="50"
name="result_edit" id="result_edit">
</textarea>
    <input type="button" value=" スタート "
onclick="startRecognition()">
    <input type="button" value=" ストップ "
onclick="stopRecognition()">
    <input type="button" value=" 送信 "
onclick="submitForm()">
  </form>


  <script>
    SpeechRecognition =
webkitSpeechRecognition || SpeechRecognition;
    const recognition = new
SpeechRecognition();
    recognition.interimResults = true;
    recognition.continuous = true;
    recognition.lang = 'en-US';
    let finalTranscript = '';
```

```javascript
        let interimTranscript = '';


        recognition.onresult = (event) => {
          interimTranscript = '';
          for (let i = event.resultIndex; i <
event.results.length; i++) {
            if (event.results[i].isFinal) {
              finalTranscript +=
event.results[i][0].transcript;
            } else {
              interimTranscript +=
event.results[i][0].transcript;
            }
          }
          document.getElementById("result-
div").innerHTML = finalTranscript + '<span
style="color: gray">' + interimTranscript +
'</span>';
document.getElementById("result").innerHTML =
finalTranscript;
document.getElementById("result_edit").innerHT
ML = finalTranscript;
        };
        function startRecognition() {
          recognition.start();
        }
```

```
      function stopRecognition() {
        recognition.stop();
      }
      function submitForm() {
google.script.run.processForm(document.forms
[0]);
document.getElementById("myForm").reset();
      }
    </script>
  </body>
</html>


// コード.gs
function doGet() {
    return
HtmlService.createHtmlOutputFromFile('index');
}

function processForm(form) {
    var sheet =
SpreadsheetApp.getActiveSpreadsheet().
getActiveSheet();
    sheet.appendRow([form.name, form.email,
form.result, form.result_edit]);
    var emailAddress = form.email;
```

```
var voice = form.result;
var text = form.result_edit;
var date = new Date();
MailApp.sendEmail(emailAddress, "課題提出確認",
'課題を受け取りました。' + '\n' + '音声認識結果:'
+ '\n' + voice + '\n' + '修正結果:' + '\n' + text +
'\n' + date);
}
```

実践的なウェブアプリの作成について学びました。アプリを作る機会は多くないかもしれませんが、経験してみることで適切な情報の収集方法について意識するきっかけになるのではないでしょうか。相手に負担がかからず加工しやすいデータを集められることは重要です。言語処理技術を活用する機会が多くない方も、無駄な事務作業や独自書式のワードファイルやエクセルファイルでの情報のやり取りをなくすヒントがあったのではないでしょうか。言語とは関係がありませんが、メールの送信も覚えておくと汎用性があります。

あ と が き

この本のタイトル「自然言語と人工言語のはざまで」は、言語学の分野になじめずにいるものの、言語処理の研究をしているわけではない自分の立ち位置を表すものでした。そして、当初の予定では、プログラミングをメインに取り上げるつもりでした。ところが、言語モデルによって自然言語でプログラムを書くことができる状況となり、連載ではホットなトピックを中心に私見を述べました。結局、書籍の形になって自分の手を離れ、追記できなくなる状況を鑑みたときに何がよいのかという観点から、原点に回帰することになりました。言語モデルを活用してある程度規模の大きなプログラムを書けるようになるには、数十行のスクリプトをすらすらと書けることが望ましいと考えたからです。自然言語をうまく活用して人工言語を利用できるようになることで、言語モデルの恩恵を受けられることとなるでしょう。より多くの人々が自然言語と人工言語のはざまに足を踏み入れるきっかけになれば幸いです。

本書および前身である連載の執筆時には代表のさんどゆみこ氏から1人目の読者としてコメントをいただきました。また、執筆の機会をくださったことに対して、この場を借りてお礼申し上げます。GAS のコードの下書きと修正、コードのコメントの生成に OpenAI の GPT モデルを使用しました。開発者のみなさまに謝意を示します。

私の言語モデルは細心の注意を払いましたが、本書の内容にも hallucination が含まれることでしょう。残された誤りは言うまでもなく、著者の責任によるものです。

著者紹介

野口 大斗

2017 年に東京大学大学院総合文化研究科言語情報科学専攻にて修士号（学術）取得。現在、東京医科歯科大学統合教育機構（教養部）、工学院大学教育推進機構国際キャリア科、千葉商科大学国際教養学部、江戸川大学メディアコミュニケーション学部情報文化学科、国士舘大学理工学部理工学科、東京大学教養学部で非常勤講師。2023 年より上智大学言語科学研究科言語学専攻博士後期課程在学。研究の関心は、音韻論、言語教育と言語処理。著書に、『jsPsych によるオンライン音声実験レシピ』（共著、教養検定会議）。

自然言語と人工言語のはざまで
―ことばの研究・教育での言語処理技術の利用―

2023 年 7 月 15 日発行

著　者―――野口大斗

発行者―――株式会社　教養検定会議　　さんどゆみこ
　　　　　〒 156-0043　東京都世田谷区松原 5-42-3
　　　　　https://la-kentei.com/

組版・印刷・製本―――シナノ書籍印刷株式会社　　装丁――植木祥子

編集―― 野口大斗

ISBN978-4-910292-06-9　C0281